UM GUIA PARA OS PERPLEXOS

E. F. SCHUMACHER
UM GUIA PARA OS PERPLEXOS

TRADUÇÃO
JULIANA AMATO

Um guia para os perplexos
Ernst Friedrich Schumacher
1ª edição — abril de 2020 — CEDET
Copyright © Verena Schumacher 1977

Título original: *A Guide for the Perplexed*

Os direitos desta edição pertencem ao
CEDET — Centro de Desenvolvimento Profissional e Tecnológico
Rua Armando Strazzacappa, 490
CEP: 13087-605 — Campinas, SP
Telefone: (19) 3249-0580
e-mail: livros@cedet.com.br

EDITOR:
Felipe Denardi

TRADUÇÃO:
Juliana Amato

REVISÃO DE TRADUÇÃO
& PREPARAÇÃO DO TEXTO:
Vitório Armelin

CAPA:
Carlos Eduardo Hara

DIAGRAMAÇÃO:
Gabriela Haeitmann

REVISÃO DE PROVAS:
Juliana Coralli
Kauane Mendes

CONSELHO EDITORIAL:
Adelice Godoy
César Kyn d'Ávila
Silvio Grimaldo de Camargo

FICHA CATALOGRÁFICA

Schumacher, E. F.
    Um guia para os perplexos / E. F. Schumacher; tradução de Juliana Amato
    — Campinas, SP: Editora Auster, 2020. Título original: *A Guide for the Perplexed*

ISBN: 978-65-80136-17-9

1. Filosofia 2. Religião 3. Aperfeiçoamento pessoal
I. Título II. Autor

                                                          CDD — 100 / 200 / 158-1

ÍNDICE PARA CATÁLOGO SISTEMÁTICO
1. Filosofia – 100
2. Religião – 200
3. Aperfeiçoamento pessoal – 158-1

Auster — www.editoraauster.com.br

Reservados todos os direitos desta obra. Proibida toda e qualquer reprodução desta edição por qualquer meio ou forma, seja ela eletrônica, mecânica, fotocópia, gravação ou qualquer outro meio de reprodução, sem permissão expressa do editor.

SUMÁRIO

Agradecimentos 9

CAPÍTULO 1
Os mapas filosóficos 11

CAPÍTULO 2
Níveis do ser.......................................27

CAPÍTULO 3
Progressões 41

CAPÍTULO 4
Adaequatio I.......................................55

CAPÍTULO 5
Adaequatio II 69

CAPÍTULO 6
Os quatro campos do saber: campo um 83

CAPÍTULO 7
Os quatro campos do saber: campo dois 105

CAPÍTULO 8
Os quatro campos do saber: campo três............123

CAPÍTULO 9
Os quatro campos do saber: campo quatro 131

CAPÍTULO 10
Dois tipos de problema 155

Epílogo 175

Nulla est homini causa philosophandi,
nisi ut beatus sit

O homem não tem qualquer razão para filosofar
senão alcançar a felicidade

— Santo Agostinho

Agradecimentos

Autor e editor agradecem a autorização das citações de Étienne Gilson, *The Unity of Philosophical Experience* (Sheed and Ward); de dois livros de Maurice Nicoll — *Living Time and the Integration of Life* e *Psychological Commentaries on the Teaching of Gurdjieff and Ouspensky*, vol. 1 —, ambos publicados pela Watikins Publishing House; de W. T. Stace, *Mysticism and Philosophy* (Macmillan, London and Basingstoke); G. N. M. Tyrrell, *Grades of Significance* (Hutchinson); e de N. Perry, *A Treasury of Traditional Wisdom*, publicado pela George Allen and Unwin.

CAPÍTULO 1

Os mapas filosóficos

I

Alguns anos atrás,[1] numa visita a Leningrado, consultei um mapa para descobrir onde estava, mas não tive sucesso. Via diversas igrejas imensas, mas nenhuma indicação de sua presença em meu mapa. Quando, enfim, um intérprete apareceu para me ajudar, disse-me: "Nós não registramos igrejas em nossos mapas". Para contestá-lo, apontei para uma que estava claramente indicada. "Isto é um museu", disse ele; "não é o que chamamos de 'uma igreja viva'. Deixamos de indicar apenas as 'igrejas vivas'".

1 Para ser exato, isso aconteceu em agosto de 1968, durante a invasão soviética da Tchecoslováquia.

Ocorreu-me então que aquela não era a primeira vez em que eu segurava um mapa que não me mostrava muitas das coisas que eu podia ver diante dos meus olhos. Durante todo o período da escola e da universidade foram-me apresentados mapas da vida e do conhecimento nos quais havia menos que um resquício de muitas das coisas com as quais eu mais me importava e que me pareciam extremamente relevantes para a condução da minha vida. Lembro-me de que vivi, durante muitos anos, em total atordoamento; e nenhum intérprete bondoso se aproximou para me ajudar. A sensação permaneceu até que deixei de suspeitar da sanidade de minhas percepções e comecei a desconfiar da integridade dos mapas.

Os mapas que me foram dados advertiam-me de que, supostamente, todos os meus ancestrais, até uma geração recente, foram patéticos iludidos que levavam suas vidas baseados em crenças irracionais e superstições absurdas. Mesmo cientistas ilustres como Johann Kepler ou Isaac Newton aparentemente gastavam a maior parte de seu tempo e energia com estudos desprositados de coisas inexistentes. No decorrer da história, enormes quantias da mais suada fortuna foram despendidas para honra e glória de deidades imaginárias — não apenas por meus antepassados europeus, mas por todas as pessoas de todas as partes do mundo, e em todas as épocas. Em todos os lugares, milhares de homens e mulheres aparentemente saudáveis sujeitaram-se a restrições totalmente sem sentido como jejuns voluntários; atormentaram-se com o celibato; perderam seu tempo com peregrinações, rituais fantásticos, preces repetitivas, e assim por diante, virando as costas à realidade — alguns inclusive ainda o fazem, mesmo em nossa era iluminada! Tudo isso para nada, nada além de ignorância e estupidez; nada disso é levado a sério atualmente, exceto, é claro, como peças de museu. Que história de erros é essa da qual emergimos! Que história, que crê na veracidade do que toda criança moderna sabe tratar-se de pura irrealidade e imaginação! Todo o nosso passado, com exceção do mais recente, cabe atualmente apenas em museus onde as pessoas podem satisfazer sua curiosidade acerca das excentricidades e incompetência das gerações anteriores. O que foi escrito por nossos ancestrais também serve principalmente para ficar guardado nas bibliotecas, onde historiadores e outros especialistas podem estudar essas relíquias e escrever livros sobre elas.

O conhecimento do passado pode ser considerado interessante, e até impressionante às vezes, mas não tem qualquer valor para nos ensinar a enfrentar os problemas do presente.

Tudo isso e outras coisas parecidas foram-me ensinadas na escola e na universidade, embora não com tantas palavras, não tão clara e abertamente. Não seria o caso, aqui, de dar o devido nome aos bois — nossos ancestrais devem ser tratados com respeito; já não podem remediar seu atraso; eles tentaram arduamente e algumas vezes, quase que por acidente, até chegaram muito perto da verdade. Sua preocupação com a religião era mais um entre muitos sinais de subdesenvolvimento, o que não surpreende em pessoas que ainda não atingiram a maioridade. Ainda há, mesmo hoje, algum interesse na religião, que legitima aquele dos tempos antigos. Ainda é permitido, em ocasiões propícias, referir-se a Deus, o Criador, embora todas as pessoas bem-instruídas saibam que não há de fato um Deus — certamente não um capaz de criar qualquer coisa que seja, que as coisas que estão à nossa volta vieram a existir a partir de um negligente processo de evolução, que se dá por acaso e seleção natural. Infelizmente, nossos ancestrais nada sabiam sobre a evolução, então tiveram de inventar esses mitos extravagantes.

Os mapas do conhecimento *real*, desenvolvidos para a vida *real*, não revelam senão coisas que podem ter sua existência alegadamente *provada*. O princípio número um de quem faz mapas filosóficos parece ser "na dúvida, esqueça", ou ponha num museu. Veio-me à mente, todavia, que a questão acerca do que seria uma prova é bastante delicada e sutil. Não seria mais inteligente mudar o princípio para seu total oposto e dizer: "Na dúvida, exponha-o de maneira *proeminente*"? Afinal, questões que estão além das dúvidas estão, de certa maneira, mortas — elas não são um desafio aos seres vivos.

Aceitar tudo como verdadeiro significa expor-se ao risco do erro. Se limito-me ao conhecimento que considero verdadeiro, acima de qualquer dúvida, reduzo o risco do erro, mas, ao mesmo tempo, aumento o risco de perder o que podem ser as mais sutis, mais importantes e mais gratificantes coisas da vida. Santo Tomás de Aquino, seguindo Aristóteles, ensinou que "o mais tênue conhecimento que pode ser obtido acerca dos mais altos eventos é mais desejável que o conhecimento mais definitivo obtido acerca das coisas inferiores".[2] O conhecimento "tênue", aqui, faz oposição ao definitivo, e denota incerteza. Talvez seja necessário que as coisas elevadas não possam ser conhecidas no mesmo nível das inferiores, da mesma maneira que seria uma grande perda se o conhecimento se limitasse às coisas além da possibilidade de dúvida.

Os mapas filosóficos que me foram fornecidos na escola e universidade não falharam somente em mostrar as "igrejas vivas", como o mapa de Leningrado ao qual me referi; eles também falharam em mostrar longas e "heterodoxas" seções acerca da teoria e da prática na medicina, agricultura, psicologia e ciências sociais e políticas, sem falar nas artes e nos assim chamados fenômenos misteriosos ou paranormais — a mera menção a eles era considerada sinal de deficiência mental. Em particular, todas as doutrinas mais proeminentes expostas no "mapa" reconhecem a possibilidade da arte apenas como expressão individual ou fuga da realidade. Mesmo na natureza não há nada de artístico — exceto por acaso; isto é, mesmo as mais belas manifestações podem ser explicadas — assim nos foi dito — por sua utilidade para a reprodução, afetando a seleção natural. De fato, a despeito dos "museus", todo o mapa — da direita para e esquerda, de cima para baixo — era ilustrado em diferentes cores: quase nada era considerado existente se não pudesse ser considerado lucrativo para o conforto do homem ou tivesse utilidade na batalha universal pela sobrevivência.

Não é surpreendente que, quanto mais nos familiarizamos com os detalhes do mapa — quanto mais somos absorvidos pelo que nos é apresentado e nos acostumamos com a ausência do que não nos é mostrado — mais perplexos, infelizes e céticos nos tornamos. Alguns de nós, no entanto, têm experiências similares àquelas descritas pelo recém-falecido Dr. Maurice Nicoll:

> Certa vez, numa aula sobre o Novo Testamento grego, dada aos domingos pelo diretor, ousei perguntar, a despeito de minha gagueira, o significado de algumas parábolas. A resposta foi tão confusa que,

---

2 Santo Tomás de Aquino, *Summa theologica*, ia, q. 5, art. 1, ad 1.

no fim das contas, vivi meu primeiro momento de consciência — ou seja, de repente percebi que *ninguém sabia nada*. [...] A partir daquele momento comecei a pensar por mim mesmo, ou melhor, acreditei que podia fazê-lo. [...] Tenho tão clara na memória aquela sala de aula — as janelas construídas no alto para que não pudéssemos ver lá fora, as mesas, a plataforma sobre a qual estava o diretor, seu rosto escolar e delgado, suas manias nervosas de contrair os lábios e tremer as mãos — e de repente aquela revelação interior de *saber que ninguém sabia de nada* — de nada, de coisa alguma que realmente importa. Aquela foi a minha primeira libertação interior do poder da vida externa. Desde então, tive certeza — e isso significa que a percepção interna e individual é a única fonte real de conhecimento — que toda a minha aversão à religião tal como me foi ensinada era legítima.[3]

Os mapas produzidos pelo cientificismo materialista moderno ignoram todas as questões que realmente importam. Mais que isso, sequer sugerem algum caminho para uma resposta possível: negam a validade das questões. A situação foi bastante desesperadora durante a minha juventude, meio século atrás; mas é ainda pior hoje em dia, pois a aplicação cada vez mais rigorosa do método científico a todos os assuntos e disciplinas destruiu mesmo os últimos vestígios da sabedoria ancestral — ao menos no mundo ocidental. Em nome da objetividade científica, é disseminado a plenos pulmões que "valores e significados nada são além de mecanismos de defesa e construções reativas",[4] que o homem "nada é além de um complexo sistema biomecânico que funciona através de um sistema de combustão, que energiza computadores com impressionantes recursos de armazenamento para conservar informações codificadas".[5] O próprio Sigmund Freud nos assegura que "de algo tenho certeza: os valores de julgamento do homem são completamente guiados por seu desejo de felicidade, por isso não passam de meras tentativas de encorajar suas ilusões com argumentos".[6]

3 Maurice Nicoll, *Psychological Commentaries*. Londres, 1925, vol I.
4 Viktor E. Frankl, "Reductionism and Nihilism", em A. Koestler e J. R. Smythies (eds.), *Beyond Reductionism*. Londres, 1969.
5 Ibid.
6 Citado por Michael Polyani, *Personal Knowledgement*. Londres, 1958.

Como pode alguém resistir à pressão de tais afirmações, proferidas em nome da ciência objetiva, a menos que, como Maurice Nicoll, receba de repente "essa revelação interior" de saber que esses homens, independentemente do quão estudados possam ser, *nada sabem sobre o que realmente importa*? As pessoas estão pedindo pão, mas a elas lhes são dadas pedras. Elas imploram por conselhos acerca do que devem fazer para "serem salvas", e a elas lhes é dito que a idéia de salvação não é algo inteligível, não passa de uma neurose infantil. Anseiam por um guia de como viver como seres humanos respeitáveis, e a resposta é que elas são máquinas, computadores, que não têm vontades próprias e, assim, não têm responsabilidades.

"O perigo da atualidade", afirma o Dr. Viktor E. Frankl, um psiquiatra de lucidez inabalável, "não está na perda da universalidade por parte do cientista, mas em sua ambição e reivindicação da totalidade [...]. Por isso, o que devemos lamentar no fim das contas não é tanto que *cientistas sejam especialistas*, mas o fato de que *especialistas são generalistas*". Depois de muitos séculos de imperialismo teológico, tivemos recentemente três séculos de um ainda mais agressivo "imperialismo científico", e o resultado é um estado de desorientação e espanto — particularmente entre a juventude — que em qualquer momento pode conduzir a nossa civilização ao colapso. "O verdadeiro niilismo", diz Frankl, "é reducionismo [...]. O niilismo contemporâneo já não brada 'o nada'; o niilismo de hoje está camuflado em 'nada-além-do-nada'. Os acontecimentos humanos tornam-se, assim, meros epifenômenos".[7]

Contudo, eles permeiam a nossa *realidade*, tudo o que somos e o que nos tornamos. Nesta vida encontramo-nos como que em um país estrangeiro. Certa vez, Ortega y Gasset destacou que "a vida nos é atirada à queima-roupa". Não podemos dizer: "Um momento! Ainda não estou pronto. Espere até eu colocar algumas coisas em ordem". É preciso tomar decisões para as quais não estamos preparados; é preciso determinar objetivos que não podemos ver claramente. Isto é bastante estranho e, aparentemente, nada racional. Os seres humanos, ao que parece, são insuficientemente "planejados".

---

7 Koestler e Smithyes, op. cit.

Não são apenas absolutamente indefesos ao nascer, mas assim permanecem por um longo tempo: mesmo quando estão crescidos, não se movem, e agem como animais vacilantes. Hesitam, duvidam, mudam de idéia, perambulam para lá e para cá sem saber não só como obter o que querem, mas incertos mesmo sobre o que querem.

Questões como "o que eu deveria fazer?" ou "o que devo fazer para ser salvo?" são estranhas pois dizem respeito aos *fins*, não apenas aos meios. Nenhuma resposta técnica irá servir, como: "Diga-me exatamente o que quer para eu poder lhe dizer como conseguir". O ponto principal é que não sei o que quero. Talvez tudo o que quero seja ser feliz. Porém, a resposta "diga-me o que você precisa para ser feliz, e então poderei lhe dizer o que fazer" é mais uma resposta que não funciona, porque não sei o que preciso para ser feliz. Talvez alguém diga: "Para ser feliz é preciso sabedoria" — mas o que é sabedoria? "Para ser feliz você precisa que a verdade o liberte" — mas qual é a verdade que nos liberta? Quem irá me dizer onde encontrá-la? Quem pode me guiar até ela ou, ao menos, apontar a direção que devo seguir?

Neste livro, vamos olhar para o mundo e tentar vê-lo por inteiro. Isso, às vezes, chama-se "filosofar", e a filosofia é definida como o amor e a busca pela sabedoria. Sócrates disse que "o espanto é o sentimento do filósofo, e a filosofia se inicia com o espanto". Também disse: "Nenhum deus é um filósofo ou busca a sabedoria pois já é um sábio. Tampouco os ignorantes buscam a sabedoria; pois é aí que está o mal da ignorância, que aquele que não é bom nem sábio viva satisfeito consigo mesmo".[8]

Uma maneira de olhar para o mundo por inteiro é com o auxílio de um mapa, ou seja, um tipo de plano ou esboço que mostra onde estão as coisas para que possamos encontrá-las — não todas as coisas, é claro, pois isso faria do mapa tão imenso quanto o mundo, mas as coisas mais notáveis, mais essenciais para a orientação: pontos de referência importantes, por assim dizer, que não se pode perder de vista, caso contrário o resultado será o completo atordoamento. A parte mais importante de qualquer questionamento ou investigação é o começo. Como foi exposto, se o início é falso ou superficial,

---

8 Platão, *O banquete*.

pode-se empregar os mais rigorosos métodos nos estágios posteriores da busca, mas eles nunca irão restaurar a situação.[9]

A confecção de um mapa é um ofício empírico que se vale de um alto grau de abstração, mas, apesar disso, agarra-se à realidade como algo semelhante à renúncia de si mesmo. Em certo sentido, seu lema é "tudo aceitar; nada desprezar". Se há *algo* ali, se carrega qualquer tipo de existência, se as pessoas o notam e demonstram interesse, deve estar registrado no mapa, em seu lugar apropriado. A confecção de mapas não envolve toda a filosofia, assim como um mapa ou um guia de viagem não engloba toda a geografia. É apenas um começo — um simples começo que falta quando surgem as perguntas "qual é o sentido disso tudo?" ou "o que devo fazer da minha vida?".

Meu mapa ou guia de viagem é construído a partir das quatro grandes verdades — os pontos de referência — que são perceptíveis, que tudo permeiam e que podem ser vistas de onde quer que se esteja. Ao conhecê-las, pode-se sempre saber onde se está a partir delas, e, se não lhe é possível reconhecê-las, você está perdido.

É preciso dizer que este guia trata do "homem no mundo". Essa simples afirmação indica que devemos estudar:

1. O "mundo";
2. O "homem" — seus recursos disponíveis para conhecer o "mundo";
3. Seu caminho de aprendizado sobre o mundo; e
4. O que significa "viver" neste mundo.

A grande verdade sobre o mundo é que existe uma estrutura hierárquica de quatro grandes Níveis de Ser.

A grande verdade sobre os recursos do homem para conhecer o mundo é o princípio de "adequação" (*adaequatio*).

A grande verdade sobre o aprendizado do homem relaciona-se com os "quatro campos do saber".

A grande verdade sobre viver a vida, vivendo neste mundo, está na distinção entre dois tipos de problema: "convergente" e "divergente".

---

9 Cf. F. S. C. Northrop, *The Logic of the Sciences and Humanities*. Nova York, 1959.

OS MAPAS FILOSÓFICOS

Um mapa, ou guia de viagem, esclarece tudo isso o máximo possível, não "resolve" problemas e não "esclarece" mistérios, apenas ajuda a identificá-los. Conseqüentemente, as tarefas de todos definem-se de acordo com as últimas palavras de Buda: "Execute a sua salvação com diligência". Nesse propósito, de acordo com os preceitos dos professores tibetanos,

> uma filosofia abrangente o suficiente para envolver o conhecimento por inteiro é indispensável; um sistema de meditação que irá resultar no poder de concentrar a mente em qualquer coisa é indispensável; um modo de vida que irá capacitar o ser a utilizar cada atividade (do corpo, da palavra e da mente) como um auxiliar no Caminho é indispensável.[10]

II

Os mais recentes filósofos da Europa não foram, em geral, fiéis fabricantes de mapas. Descartes (1595–1650), por exemplo, a quem muito deve a filosofia moderna, abordou sua tarefa de maneira um pouco diversa. "Aqueles que desejam um caminho direto para a verdade", disse, "não deveriam incomodar-se com nenhum objeto sobre o qual não podem ter certeza equivalente às demonstrações aritméticas e geométricas".[11] Apenas a esses objetos deveria entregar-se a nossa atenção "rumo ao claro e indubitável conhecimento ao qual nossa força mental parece estar adequada".[12]

Descartes, pai do moderno racionalismo, insistia que "nunca devemos permitir a nós mesmos ser persuadidos, exceto pela manifestação de nossa Razão", e enfatizou especialmente que falava sobre "nossa Razão, e não nossa imaginação ou nossos sentidos".[13] O método da razão consiste em "diminuir gradualmente proposições complicadas

---

10 W. Y. Evans-Wentz, *Tibetan Yoga and Secret Doctrines*. Oxford, 1935.
11 René Descartes, *Rules for the Direction of the Mind*. Chicago, 1971.
12 Ibid.
13 René Descartes, *Discourse on Method*.

e obscuras a proposições mais simples e, então, iniciando a apreensão intuitiva das que são mais simplórias, esforçar-se para ascender ao conhecimento de todas as outras seguindo passos similares".[14] Este é um programa concebido por um espírito poderoso e espantosamente estreito, cuja limitação está exposta mais adiante, nas *Regras*:

> Se na questão a ser examinada chegamos a um passo em que nossa compreensão não é suficientemente capaz de intuir cognitivamente, devemos parar por aí. Não devemos nos esforçar para investigar o que segue; e deste modo poupamo-nos do esforço supérfluo.[15]

Descartes restringe seu interesse ao conhecimento e a idéias exatas e certas, além de qualquer possibilidade de dúvida, pois seu interesse primordial é que nos tornemos "senhores e possuidores da natureza". Nada pode ser exato a menos que possa ser quantificado de alguma maneira. Conforme comenta Jacques Maritain,

> O conhecimento matemático da natureza, para Descartes, não é o que é na realidade, uma determinada interpretação dos fenômenos [...] que não responde às questões que jazem sobre os princípios fundamentais das coisas. Para ele, o conhecimento é a revelação da pura essência das coisas. Estas são analisadas exaustivamente por sua dimensão geométrica e movimento local. Toda a física, ou seja, toda a filosofia da natureza, não passa de geometria.
> Assim a evidência cartesiana vai direto ao mecanismo. Ela mecaniza a natureza; violenta-a; impede totalmente que quaisquer coisas que induzam a relação com o espírito, que compartilhe do gênio do Criador, falem conosco. O universo torna-se mudo.[16]

Não há garantias de que o mundo tenha sido feito de maneira que a verdade incontestável seja a verdade total. Seria a verdade de quem, de quem seria esse conhecimento? Do homem. De todo homem? Somos todos homens "adequados" a compreender a verdade?

---

14 René Descartes, *Rules for the Direction of the Mind*.
15 Ibid.
16 Jacques Maritain, *The dream of Descartes*. London, 1946.

Como demonstrou Descartes, a mente humana pode duvidar de tudo o que não apreende com facilidade, e alguns homens são mais predispostos que outros.

Descartes rompeu com a tradição, fez uma boa limpeza e encarregou-se de começar do zero, descobrindo tudo por si mesmo. Esse tipo de arrogância tornou-se o "estilo" da filosofia européia. "Todo filósofo moderno", diz Maritain, "é cartesiano no sentido de que olha para si mesmo como se iniciasse do zero absoluto e tivesse a missão de trazer aos homens uma nova concepção de mundo".[17]

O suposto fato de que a filosofia "tem sido cultivada por muitos séculos através das melhores mentes que já viveram e que, contudo, não há nada que possa ser descoberto que não seja objeto de disputa e, conseqüentemente, que não seja duvidoso",[18] conduziu Descartes a uma espécie de "afastamento da filosofia", e à atenção exclusiva ao conhecimento sólido e inquestionável da matemática e da geometria. Francis Bacon (1561–1626) já havia defendido um meio semelhante. O ceticismo, uma forma de derrotismo na filosofia, tornou-se a principal corrente de pensamento europeu, insistindo, não sem plausibilidade, que o alcance do pensamento humano era rigorosamente limitado, e que não havia qualquer necessidade de dedicar algum interesse a tópicos além dessa capacidade. Enquanto a sabedoria tradicional considerava a mente humana igualmente fraca, *mas em aberto*, e que ela é capaz de ir além de si mesma para níveis cada vez mais altos, o novo pensamento tomou como seu manifesto que a mente tem limites fixos e estreitos que podem ser claramente determinados e que, dentro desses limites, ela virtualmente possui poderes ilimitados.

Do ponto de vista da confecção de mapas filosóficos, isso representa uma imensa perda: áreas inteiras do interesse humano, às quais foram dedicadas os mais intensos esforços das gerações anteriores, simplesmente deixaram de aparecer nos mapas. Mas aí há também um afastamento mais significativo, e uma perda ainda maior: enquanto a sabedoria tradicional sempre representou o mundo como uma estrutura tridimensional (como simboliza a cruz), quando isso

---

17 Ibid.
18 René Descartes, *Rules for the Direction of the Mind*.

não só fazia sentido, mas era de essencial importância para distinguir em qualquer situação o mais "elevado", o mais "baixo" e os Níveis do Ser, o novo pensamento empenhou-se com determinação — para não dizer com fanatismo — para libertar-se da *dimensão vertical*. Como poderia alguém obter idéias claras e precisas sobre quaisquer noções qualitativas sem o "mais elevado" e o "mais baixo"? Não é a tarefa mais urgente da razão estabelecer medidas quantitativas?

Talvez o "matematicismo" de Descartes tenha ido longe demais; então Immanuel Kant (1724–1804) resolveu inventar um novo começo. Porém, como destaca Éttiene Gilson, incomparável mestre em história e filosofia,

> Kant não estava substituindo a matemática pela filosofia; estava substituindo a matemática pela física. Como ele próprio logo conclui: "A verdadeira metodologia da metafísica é essencialmente a mesma que aquela com que Newton introduziu nas ciências naturais, e que, ali, colheu muitos resultados". [...] A *Crítica da razão pura* é a descrição perfeita de como deveria ser a estrutura da mente humana, a fim de considerar a existência de uma concepção newtoniana de natureza e assumir que essa concepção é legítima para a realidade. Nada pode demonstrar com maior clareza a fraqueza substancial do fisicismo como método filosófico.[19]

Nem a matemática, nem a física conseguem absorver as noções qualitativas de "mais elevado" ou "mais baixo". Assim, a dimensão vertical desapareceu dos mapas filosóficos, que a partir de então concentraram-se em questões artificiais como "as outras pessoas existem?", "como posso saber qualquer coisa?" ou "as outras pessoas têm experiências semelhantes às minhas?"; e assim os mapas deixaram de prestar ao homem qualquer auxílio na árdua tarefa de traçar o seu caminho através da vida.

O próprio ofício da filosofia foi formulado por Étienne Gilson da seguinte maneira:

---

19 Étienne Gilson, *The Unity of Philosophical Experience*. London, 1938.

É sua missão permanente ordenar e ajustar uma área cada vez mais ampla do conhecimento científico e julgar problemas cada vez mais complexos da conduta humana; é sua tarefa perpétua manter as velhas ciências dentro de seus limites, para que cedam seu lugar, e seus limites, às novas ciências; por último, mas não menos importante, é manter todas as atividades humanas, independentemente da mudança das circunstâncias, sob a influência da mesma razão pela qual o homem, sozinho, resta como juiz de suas próprias obras e, depois de Deus, mestre de seu próprio destino.[20]

III

A perda da dimensão vertical determinou que deixa de ser possível dar uma resposta — que não seja uma resposta utilitária — à questão "o que vou fazer da minha vida?". A resposta poderia ser mais individual-egoísta ou mais social-altruísta, mas não ajudaria nada sendo apenas funcional: "Satisfaça-se o máximo que puder" ou "trabalhe para a maior felicidade da maior multidão". Tampouco era possível definir a natureza do homem como diferente da do animal. Um animal "superior"? Sim, talvez, mas apenas em alguns aspectos; em muitos outros, muitos animais podem ser descritos como "superiores" em relação ao homem, então é melhor tentar ao máximo evitar termos nebulosos como "superiores" ou "inferiores", a menos que se refiram a termos estritamente evolucionários. No contexto da evolução, "superior" é normalmente associado a "posterior", e sem dúvidas o homem chegou tarde e, por isso, pode ser considerado o topo da cadeia evolutiva.

Nada disso nos conduz a uma resposta útil para a questão "o que vou fazer da minha vida?". Diz Pascal: "O homem deseja ser feliz, existe para ser feliz e não pode desejar não ser feliz",[21] mas o novo pensamento dos filósofos insistia, com Kant, que "ele nunca poderá dizer definitivamente e de forma consistente qual é o seu real desejo" e não pode "determinar com certeza o que o faria verdadeiramente feliz;

---

20 Ibid.
21 Blaise Pascal, *Pensées*, seção ii, n. 169.

pois para isso ele precisaria ser onisciente".[22] A sabedoria tradicional tem uma simples e tranqüilizante resposta: a felicidade do homem é *elevar-se*, desenvolver suas faculdades *superiores*, obter conhecimentos *elevados* sobre as coisas mais *elevadas* e, se possível, "ver Deus". Se ele se move para o *inferior*, desenvolve apenas suas capacidades *inferiores*, as quais compartilha com os animais, então, torna-se profundamente infeliz, chegando ao desespero.

Com imperturbável certeza argumentou Santo Tomás de Aquino:

> Nenhum desejo ou cuidado se dirige para uma coisa se esta não for previamente conhecida. Ora, os homens estão ordenados pela providência divina *para um bem mais elevado que o capaz de ser experimentado pela fragilidade humana da presente vida*, como após se verá. Devido a isso, foi conveniente que a mente fosse atraída para *algo mais alto que o atingido no presente pela nossa razão*, de modo que esta aprendesse a desejar algo que excedesse totalmente o estado da presente vida, e se esforçasse para procurá-lo. [...] Os filósofos, com este intento, procuraram mostrar que há bens mais valiosos que os sensíveis, a fim de levarem os homens, desde os prazeres sensíveis, para a honestidade. Ora, com o gozo destes bens mais valiosos deleitam-se muito mais suavemente os que praticam as virtudes, tanto da vida ativa quanto contemplativa.[23]

Esses ensinamentos, que são a sabedoria tradicional de todos os povos em todas as partes do mundo, tornaram-se incompreensíveis para o homem moderno, ainda que também ele não deseje nada além de, de alguma maneira, ser capaz de ascender sobre "toda a condição de sua vida presente". Ele espera fazê-lo ao enriquecer, ao mover-se rapidamente na mais alta velocidade, ao viajar para a Lua e para o espaço. Vale a pena recorrermos novamente a Santo Tomás:

> Há também um terceiro desejo humano, comum aos homens e aos animais, qual seja o de *gozar os deleites*. Isto, os homens procuram ao

---

22 Extraído de *Great Books of the Western World. The Great Ideas*. Chicago, vol. I, cap. 33.

23 Santo Tomás de Aquino, *Suma contra os gentios*, I, v, 2. Campinas: Ecclesiae, 2017, p. 52.

máximo na vida de prazeres e, devido à sua imoderação, eles se tornam libertinos e incontinentes. Há, porém, naquela beatitude o deleite perfeitíssimo, tanto mais perfeito que os prazeres dos sentidos, também usufruídos pelos irracionais, quanto o intelecto é superior ao sentido; quanto, também, aquele bem com o qual nos deleitaremos é superior a todo bem sensível e mais íntimo e de gozo mais durável; e, finalmente, quanto aquele deleite é mais isento de mistura de tristeza, ou de solicitude por aquilo que nos pode molestar.

Nesta vida, nada é tão semelhante àquela perfeita e última felicidade que a vida dos contemplativos da verdade, enquanto ela é possível aqui na Terra. Por isso, os filósofos, que não puderam ter a plena noção daquela última felicidade, colocaram a felicidade última do homem na contemplação, possível de ser atingida nesta vida.

Pela mesma razão a Sagrada Escritura recomenda a vida contemplativa mais que os outros gêneros de vida, dizendo o Senhor, no Evangelho: "Maria escolheu a melhor parte" (isto é, a contemplação da verdade), "que não lhe será tirada" (Lc 10, 42). Pois bem, a contemplação da verdade começa nesta vida, mas só na futura será consumada. A vida ativa e social, no entanto, não transcende os limites desta vida na Terra.[24]

A maioria dos leitores modernos relutarão em acreditar que a plena felicidade só é alcançável através de métodos sobre os quais o mundo moderno nada sabe. De qualquer maneira, não se trata aqui de acreditar ou não. A questão é que, sem os conceitos qualitativos de "superior" ou "inferior", é impossível sequer pensar em diretrizes para a vida que conduzam para além do utilitarismo egoísta, individual ou coletivo.

A capacidade de ver a grande verdade da estrutura hierárquica do mundo, que possibilita distinguir entre níveis de ser superiores e inferiores, é uma das condições imprescindíveis do conhecimento. Sem isso, é impossível compreender o lugar próprio e legítimo de cada coisa. Tudo, em toda parte, só pode ser compreendido quando seu nível de ser é seriamente levado em conta. Há muitas coisas verdadeiras num nível de ser inferior que tornam-se absurdas num nível superior, e vice-versa.

Partamos, pois, para um estudo da estrutura hierárquica do mundo.

---

24 Santo Tomás de Aquino, *Suma contra os gentios*, III, LXIII, 1–2, idem, p. 437.

CAPÍTULO 2

Níveis do ser

I

Nossa tarefa é olhar para o mundo e vê-lo como um todo. Nós vemos o que nossos antepassados sempre viram: uma imensa "cadeia do ser" que parece dividir-se naturalmente em quatro partes — quatro "reinos", como costumam ser chamados: mineral, vegetal, animal e humano. Essa "era, de fato, até não muito mais que cem anos atrás, provavelmente a mais vasta concepção conhecida do esquema das coisas, do padrão constitutivo do universo".[1] A cadeia do ser pode ser vista como algo que se estende de cima para baixo, do mais alto para

---

1 Arthur O. Lovejoy, *The Great Chain of Being*. New York, 1960.

o mais baixo, ou como uma extensão ascendente, do mais baixo ao mais alto. A visão antiga começa com o divino e desce a cadeia do ser numa distância que aumenta a partir do centro, numa perda progressiva de qualidades. A visão moderna, amplamente influenciada pela teoria da evolução, tende a começar a partir da matéria inanimada e considerar o homem como o último elo da corrente, que reúne o maior número de qualidades. A direção do olhar — de cima para baixo ou de baixo para cima — não importa neste momento, e, em consonância com os modernos hábitos de pensamento, começaremos pelo nível mais baixo, o reino mineral, considerando o acúmulo sucessivo de qualidades, ou potências, enquanto movemo-nos para os níveis mais altos.

Ninguém tem qualquer dificuldade em reconhecer a surpreendente e misteriosa diferença entre uma planta viva e outra que morreu e, por isso, desceu ao nível do ser mais inferior, a matéria inanimada. O que é essa força que foi perdida? Chamamos de "vida". Os cientistas dizem que não devemos falar sobre a "força vital", porque a existência de tal força nunca foi descoberta; ainda que exista a *diferença*. Podemos chamá-la de x, indicando que é algo a ser observado e estudado, mas não explicado. Se chamarmos o nível mineral de m, poderemos determinar o nível da planta como $m+x$. Obviamente, esse fator x merece a nossa observação mais atenta, principalmente porque nos é permitido destruí-lo, apesar de estar totalmente fora de nosso conhecimento e de nossa habilidade criá-lo. Mesmo se alguém pudesse nos oferecer uma receita, um manual de instruções, sobre como pode ser criada a vida a partir da matéria inanimada, o caráter misterioso de x permaneceria, e nunca deixaríamos de nos maravilhar com o fato de que algo que nada podia fazer tem então a capacidade de alimentar-se de seu ambiente, crescer e reproduzir-se "fiel à forma", por assim dizer. Não há nada nas leis, conceitos e fórmulas físicas e químicas para explicar ou ao menos descrever essa força. X é algo um tanto novo e acessório, e quanto mais o contemplamos fica mais claro que aqui somos confrontados com o que pode ser chamado de *descontinuidade ontológica* ou, para simplificar, um salto de nível de ser.

Dos vegetais aos animais há um salto semelhante, um ganho similar de força que capacita o animal comum e plenamente desenvolvido a fazer coisas que estão totalmente fora da capacidade das plantas comuns e plenamente desenvolvidas. Mais uma vez, essas forças são misteriosas e, estritamente falando, não têm nome. Podemos nomeá-las *y* — o que é nosso caminho mais seguro, já que qualquer palavra que venhamos a utilizar pode fazer as pessoas pensarem que não se trata somente de uma pista, mas de uma descrição exata. De qualquer maneira, não podemos falar sem palavras, e por isso irei colocar nessa misteriosa força o rótulo de "consciência". É fácil reconhecer a consciência em um cão, em um gato ou em um cavalo, apenas por eles poderem ficar inconscientes, condição que é similar à das plantas: os processos vitais seguem em frente embora o animal tenha perdido a sua força característica.

Se, na terminologia que utilizamos anteriormente, a planta pode ser chamada de *m+x*, o animal deve ser descrito como *m+x+y*. Mais uma vez, o fator *y* merece uma atenção especial: somos capazes de destruí-lo, mas não de criá-lo. Tudo o que podemos destruir mas não podemos criar é, em certo sentido, sagrado; todas as nossas "explicações" sobre o assunto nada o explicam de fato. Podemos dizer que *y* é algo novo e suplementar quando comparado ao nível "planta" — uma *descontinuidade ontológica*, um salto de nível no ser.

Passando do nível animal ao humano, quem ousaria negar com sinceridade que há aí, mais uma vez, forças suplementares? O que essas forças são, precisamente, tornou-se mote de controvérsias nos tempos modernos, mas o fato de que o homem é capaz de fazer — e está fazendo — inumeráveis coisas que estão completamente fora do alcance das possibilidades dos mais desenvolvidos animais não pode ser discutido e nunca foi negado. O homem tem a força vital, como as plantas; as potências da consciência, como os animais e, é evidente, tem algo a mais: a misteriosa força *z*. Que força é essa? Como poderia ser definida? Como poderia ser chamada? Sem dúvida é graças a essa força *z* que o homem não só é capaz de pensar, mas também de estar ciente de seu pensamento. Consciência e inteligência, por assim dizer, repercutem sobre si mesmas. Não se trata apenas de um ser consciente, mas de um ser capaz de ter consciência da sua consciência; não é apenas mero pensador, mas um pensador que pode observar e estudar o próprio pensamento. Existe algo capaz de dizer "eu" e direcionar a consciência de acordo com seus próprios propósitos; um mestre ou condutor, uma força em um nível mais alto que a própria consciência. A força z, ao voltar-se conscientemente sobre si mesma, abre possibilidades ilimitadas de significativos aprendizados, investigações, explorações, formulações e acúmulo de conhecimento. Como devemos chamá-la? Como palavras são necessárias, chamo-a de "autoconsciência". De qualquer maneira, devemos ter sempre a cautela de lembrar que uma denominação como essa é apenas (para usar a expressão budista) "um dedo apontando a Lua". A Lua mesma permanece altamente misteriosa e deve ser observada com total paciência e perseverança se quisermos compreender qualquer coisa acerca da posição do homem no universo.

Nosso exame inicial dos quatro níveis do ser pode ser resumido da seguinte maneira:

"Homem" pode ser descrito $m+x+y+z$
"Animal" pode ser descrito $m+x+y$
"Vegetais" podem ser descritos $m+x$
"Minerais" podem ser descritos m

X, y e z são invisíveis; apenas m é visível; é extremamente difícil apreendê-los, embora seus efeitos façam parte de nossa experiência cotidiana.

Como mencionamos anteriormente, em vez de estabelecer "minerais" como base de nosso raciocínio, elevando-se até chegar ao mais alto nível do ser por uma soma de forças, podemos começar a partir do nível mais alto que conhecemos — o homem — e atingir os níveis mais baixos do ser pela progressiva subtração de forças. Assim, poderíamos dizer que:

"Homem" pode ser m
"Animal" pode ser $m-z$
"Vegetais" podem ser $m-z-y$
"Minerais" podem ser $m-z-y-x$

Esse esquema "descendente" é de mais fácil compreensão do que o "ascendente" simplesmente porque pode ser baseado numa experiência prática. Sabemos que todos os três fatores — x, y e z — podem enfraquecer e perecer; de fato, podemos destruí-los. A autoconsciência pode desaparecer enquanto a consciência permanece; a consciência pode desaparecer enquanto a vida permanece; e a vida pode desaparecer, deixando um corpo inanimado para trás. Podemos observar e, de certa maneira, *sentir* o processo de perda até chegar ao aparentemente total desaparecimento da autoconsciência, da consciência e da vida. Mas está fora de nossas capacidades atribuir vida à matéria inanimada, atribuir consciência à matéria que vive e, finalmente, atribuir autoconsciência aos seres conscientes.

Tudo aquilo que somos capazes de fazer sozinhos podemos, de certo modo, compreender; o que não conseguimos fazer de maneira nenhuma, não compreendemos, nem mesmo "de certo modo". A evolução como um processo de aparecimento espontâneo, acidental, inconsciente e autoconsciente das forças da vida a partir da matéria inanimada é algo totalmente incompreensível. Se a transição acidental do mais inferior para o mais elevado é possível, então tudo e nada é possível, e não há princípios para o pensamento humano. Dois mais dois não teria de ser quatro, poderia muito bem ser cinco ou qualquer outro número; tampouco haveria qualquer necessidade de acreditarmos que dois menos dois resulta em nada: por que não acreditar que, de repente, pode ser cinco?

Não é necessário, para os nossos propósitos, iniciar essas especulações neste momento. Aderimos com firmeza ao que podemos ver e conhecer: o universo como uma imensa estrutura hierárquica de diferentes níveis de ser. Cada um deles, evidentemente, constitui um terreno amplo, que toca o nível superior e o inferior, e a determinação exata de onde o elo inferior termina e o superior inicia pode às vezes encerrar dificuldades e disputas. As disputas ocasionais pelas fronteiras, contudo, não põe em questão a existência dos quatro reinos.

A física e a química lidam com o nível inferior, o mineral. Nele, x, y, e z — vida, consciência e autoconsciência — não existem (ou, pelo menos, estão totalmente inativas e por isso não podem ser identificadas). Física e química não podem nos dizer absolutamente nada sobre elas.

Essas ciências não carregam concepções dessas forças e são incapazes de descrever os seus efeitos. Onde há vida há forma, *Gestalt*, que se reproduz incansavelmente a partir da semente ou de seres similares, que não possuem essa *Gestalt* mas a desenvolvem em seu processo de crescimento. Nada semelhante ajusta-se ao esquema dessas duas ciências.

Dizer que a vida nada é além de uma combinação peculiar de átomos é como dizer que o *Hamlet*, de Shakespeare, nada é além de uma combinação peculiar de letras. A verdade é que a combinação peculiar de letras nada é além de uma propriedade do *Hamlet*. As versões francesas e alemãs da peça possuem diferentes combinações das letras.

O mais estranho acerca das "ciências da vida" modernas é que elas quase nunca lidam com *a vida em si*, ao fator x, mas dedicam infinita atenção ao estudo e análise do corpo físico-químico portador da vida. Talvez seja assim porque a ciência moderna não tem nenhum método para apreender "a vida em si". Se é esse o caso, que se admita com franqueza; não há desculpas para a pretensão de dizer que a vida nada é além de física e química.

Tampouco há qualquer desculpa para a pretensão de que a consciência nada é além de uma propriedade da vida. Descrever um animal como um sistema físico-químico extremamente complexo é, sem dúvida, correto — exceto pelo fato de que isso exclui a "animalidade" do animal. Alguns zoólogos, ao menos, foram além desse nível absurdo de erudição e desenvolveram a habilidade de ver os animais como mais do que máquinas complexas. De qualquer maneira, sua influência é ainda insignificante, e com a crescente "racionalização" do estilo de vida moderno, cada vez mais animais são tratados como se realmente não passassem de "máquinas animais". (Esse é um exemplo bastante revelador de como as teorias filosóficas, por mais absurdas ou afrontosas ao senso comum, tendem a tornar-se, depois de certo tempo, práticas comuns no dia-a-dia).

Todas as "humanidades", em distinção às ciências naturais, lidam de alguma maneira com o fator y — a consciência. Porém, a distinção entre consciência (y) e autoconsciência (z) é raramente delineada. Assim, o pensamento moderno foi ficando cada vez mais incerto sobre haver ou não alguma diferença "real" entre homens e animais. Uma porção de estudos estão sendo desenvolvidos acerca do comportamento dos animais para se chegar à compreensão da natureza humana. É a mesma coisa que estudar física com a esperança de aprender algo sobre a *vida* (x). Naturalmente, desde que o homem contém em si os três níveis inferiores do ser, pode-se obter algumas informações sobre ele a partir do estudo de minerais, vegetais e animais — de fato, pode-se aprender tudo sobre ele, exceto o que faz dele humano. Todos os quatro elementos que constituem o ser humano — m, x, y e z — merecem ser estudados; mas pode haver dúvidas quanto a sua relativa importância em termos de conhecimento para guiar as nossas vidas. Essa importância aumenta na ordem citada anteriormente, assim como também aumenta a dificuldade e a incerteza presentes na vida do ser humano moderno. Existe algo além do mundo material, de moléculas e átomos e elétrons e inumeráveis minúsculas partículas, cujas combinações, cada vez mais complexas, possam supostamente dar conta de tudo, do que há de mais bruto ao mais sublime? Por que falar de diferenças fundamentais, de "saltos" na cadeia do ser ou de "descontinuidades ontológicas" quando podemos ter total certeza de que há *diferenças em escala*? Não é necessário discutirmos se as diferenças óbvias e palpáveis entre os quatro níveis do ser estão mais para diferenças da mesma espécie ou para diferenças de grau. O que precisa ser totalmente compreendido é que há diferenças nas espécies, no tipo — não somente nos níveis —, entre as forças de vida, consciência e autoconsciência. Talvez existam vestígios dessas forças nos níveis mais baixos, embora ainda não perceptíveis (ou não observados) pelos homens. Ou talvez eles estejam infundidos, por assim dizer, em situações apropriadas do "outro mundo". Não é essencial termos teorias sobre a sua origem, basta que reconheçamos sua qualidade e, reconhecendo-a, que nunca falhemos em lembrar que estão além de qualquer coisa que a nossa inteligência nos permita criar.

Não é muito difícil observar a diferença entre algo "vivo" e algo "sem vida"; mais complicado é distinguir entre vida e consciência, e também perceber, conhecer e apreender o que diferencia autoconsciência e consciência (ou seja, y e z). A razão dessa dificuldade é compreensível: enquanto o nível mais elevado abrange e, de certa maneira, compreende o nível inferior, nenhum ser está apto a entender nada que seja mais elevado do que ele. O ser humano pode esforçar-se e esticar-se em direção ao mais alto e iniciar um processo de crescimento através da adoração, reverência, maravilhamento, admiração e imitação, e, ao alcançar um nível mais elevado, expandir a sua compreensão — falaremos desse assunto a seguir. Mas pessoas que não têm o poder da autoconsciência (z) bem desenvolvido não conseguem compreendê-la como uma força separada e tendem a considerá-la uma reles extensão da consciência (y). Por isso temos um extenso número de definições do ser humano que o colocam como nada além de um animal excepcionalmente inteligente com um cérebro excessivamente grande, ou um animal que faz ferramentas, um animal político, um animal incompleto, ou simplesmente um macaco nu. Sem dúvida, pessoas que usam esses termos inocentemente incluem a si mesmas em suas definições — e têm algum motivo para fazê-lo. Para outras, soam como palavras vazias, como se se pudesse definir um cão como uma planta que late ou uma abóbora que corre. Nada contribui mais com a brutalização do mundo moderno do que a divulgação, em nome da ciência, de definições equivocadas e degradantes do ser humano, como "macaco nu". O que se poderia esperar dessa criatura, de outros "macacos nus" ou, naturalmente, de si mesmo? Quando se fala sobre os animais como "máquinas animais", logo passam a tratá-los de acordo, e quando pensam no ser humano como macacos nus, abrem-se todas as portas para a bestialidade.

"Que obra de arte é o homem! Que nobre sua razão! Que possibilidades sem fim!". Graças ao poder da autoconsciência (z), suas possibilidades são mesmo infinitas, e não são estreitamente limitadas, determinadas ou "programadas", como se diz hoje em dia. Werner Jaeger manifestou uma verdade profunda quando afirmou que, uma vez que o potencial humano é percebido, ele existe. As maiores façanhas definem o homem — e não sua vida diária, nem qualquer comportamento ou performance comum, e definitivamente nada que possa ser derivado de sua observação dos animais. "Nem todos os homens podem ser extraordinários", afirma a Dra. Catherine Roberts, porém todos os homens, através do conhecimento da humanidade superior, podem saber o que significa ser humano e, por isso, também têm alguma contribuição a fazer. É magnífico tornar-se tão humano quanto se é capaz. E isso não requer qualquer auxílio da ciência. Além disso, o simples ato de perceber as suas potencialidades constitui um avanço sobre tudo o que veio antes.[2]

Esse "fim sem fim" é o maravilhoso resultado da capacidade estritamente humana da autoconsciência (z), que, diferentemente da vida e da consciência, nada tem de automático ou mecânico. As forças da autoconsciência são, essencialmente, potencialidades ilimitadas, e não atualidades. Elas devem ser desenvolvidas e "atualizadas" por cada ser humano individual que queria tornar-se verdadeiramente humano, ou seja, uma *pessoa*.

Eu disse há pouco que podemos escrever homem como:

$$m+x+y+z.$$

Esses quatro elementos formam uma seqüência de raridade e vulnerabilidade ascendentes. A matéria (m) não pode ser destruída; e para matar um corpo é preciso desprovê-lo de x, y e z, mas a substância inanimada permanece; ela "retorna" à Terra. Em comparação à matéria inanimada, a vida é demasiado rara e precária; da mesma forma, em comparação à ubiqüidade e tenacidade da vida, a consciência é bastante rara e vulnerável. Quanto à autoconsciência, é a mais rara de todas as forças, valiosa e vulnerável no mais alto grau, a derradeira e mais nobre conquista de uma pessoa, presente por um momento e que pode facilmente escapar no seguinte. O estudo desse fator z foi em todas as épocas — exceto na presente — a principal preocupação da humanidade. Como é possível investigar algo tão vulnerável e passageiro? Como é possível estudar aquilo que faz o estudo? Como posso estudar o "eu" que emprega a própria consciência necessária ao estudo? Essas questões serão abordadas mais tarde neste livro. Antes que possamos ir diretamente a elas, é preciso olhar mais de perto os

---

2 Catherine Roberts, *The Scientific Conscience*. Sussex, Fontwell, 1974.

quatro níveis do ser: como, com a intervenção de forças adicionais, acontecem mudanças essenciais, embora as similaridades e "correspondências" se mantenham.

Matéria (m), vida (x), consciência (y) e autoconsciência (z) — esses quatro elementos são ontologicamente — ou seja, em sua natureza fundamental — diferentes, incomparáveis, incomensuráveis e descontínuos. Apenas um deles é diretamente acessível à observação científica e objetiva através de nossos cinco sentidos. Os outros três, entretanto, não nos são menos conhecidos porque nós — cada um de nós — pode verificar sua existência a partir da experiência interior.

Jamais percebemos a vida exceto como matéria viva que somos; nunca perceberíamos a consciência se não fôssemos seres vivos conscientes; e nunca perceberíamos a autoconsciência não fôssemos seres vivos, conscientes e autoconscientes. As diferenças ontológicas desses quatro elementos são análogas à descontinuidade das dimensões. Uma linha é unidimensional; e nenhuma elaboração dessa linha, nenhuma sutileza em sua constituição, nenhuma complexidade poderá transformá-la em superfície. Da mesma maneira, nenhuma elaboração em uma superfície bidimensional, nenhum aumento em sua complexidade, sutileza ou tamanho poderá transformá-la em um sólido. A existência no mundo físico, como sabemos, atém-se apenas a seres tridimensionais. As coisas uni ou bidimensionais existem apenas em nossas mentes. Analogicamente, pode-se dizer que apenas o homem "realmente existe" nesse mundo na medida em que apenas ele possui as três dimensões da vida, consciência e autoconsciência. Nesse sentido, os animais, que possuem apenas duas dimensões — vida e consciência — têm apenas uma existência obscura; e os vegetais, sem as dimensões de consciência e autoconsciência, estão para o ser humano assim como a linha está para o objeto sólido. Seguindo essa analogia, a matéria, isenta das três outras "dimensões invisíveis", não é mais real que um ponto geométrico.

Essa analogia, que pode parecer afetada do ponto de vista lógico, sugere uma verdade existencial inescapável: o mundo mais "real" em que vivemos é o mundo dos nossos colegas humanos. Sem eles, experimentaríamos uma enorme sensação de vazio; não poderíamos sequer sermos humanos nós mesmos, posto que somos feitos ou destruídos a partir de nossas relações com as outras pessoas. A companhia dos animais nos conforta somente porque — e na medida em que — eles são lembranças, mesmo caricaturas, de seres humanos. Um mundo sem os nossos colegas seres humanos seria um lugar sinistro e irreal de desterro; um mundo sem animais ou seres humanos seria um lugar terrivelmente devastado, não importa o quão imponente seja a sua vegetação. Chamá-lo de unidimensional não parece um exagero. A existência humana em um ambiente totalmente inanimado, se fosse possível, seria de total vazio, de total desespero. Parece absurdo seguir tal linha de raciocínio; mas certamente não é tão absurdo quanto a linha que considera "real" apenas a matéria sem vida e trata como "irreais", "subjetivas" — e, por isso, cientificamente inválidas — as dimensões invisíveis da vida, consciência e autoconsciência.

Uma simples observação dos quatro níveis do ser nos conduz ao reconhecimento dos quatro elementos — matéria, vida, consciência, autoconsciência. É esse reconhecimento que nos importa, e não a exata associação dos quatro elementos com os níveis do ser. Se os cientistas surgirem para nos dizer que há alguns seres a quem chamamos animais nos quais não foi encontrado qualquer vestígio de consciência, não devemos argumentar. Reconhecimento é uma coisa; identificação é outra. Para nós, apenas o reconhecimento é importante, e para o nosso propósito podemos escolher espécies comuns e totalmente desenvolvidas em cada um dos níveis do ser. Elas manifestam e demonstram claramente as "dimensões invisíveis" da vida, consciência e autoconsciência, e essa constatação não pode ser anulada ou invalidada por qualquer dificuldade de classificação em outros casos.

Uma vez que reconhecemos os vazios ontológicos e as descontinuidades que separam os quatro "elementos" — m, x, y, z — entre si, sabemos também que não pode haver "ligações" ou "formas de transição". A vida está ou não está presente — ela não pode estar parcialmente presente — e o mesmo acontece com a consciência e a autoconsciência. As dificuldades de identificá-lo são às vezes exacerbadas pelo fato de que o nível inferior tende a sugerir um tipo de imitação ou simulação do superior, assim como um fantoche pode às vezes ser tomado erroneamente por uma pessoa, ou um cenário bidimensional pode parecer a realidade tridimensional. Porém, nem as dificuldades de identificação e delimitação, nem as possibilidades de engano ou ilusão podem ser utilizadas como argumentos contra a existência dos quatro níveis do ser diante da simples apresentação dos quatro "elementos" a que chamamos matéria, vida, consciência e autoconsciência. Esses quatro "elementos" são quatro mistérios irredutíveis, que devem ser estudados e investigados com mais atenção, mas não podem ser explicados — deixemos que expliquem-se por si.

Em uma estrutura hierárquica, o mais elevado não apenas tem forças que são suplementares e excedentes às dos inferiores, mas também tem poder sobre os inferiores: o poder de organizá-los e usá-los para seus propósitos. Seres vivos usam e organizam a matéria inanimada; seres conscientes podem utilizar a vida; e seres autoconscientes podem usar a consciência. Existem forças maiores que a autoconsciência? Há níveis do ser mais elevados que os humanos? Nesse ponto de nossa reflexão não precisamos senão registrar o fato de que grande parte da humanidade — a maior parte — foi irremediavelmente convencida de que a cadeia do ser estende-se para além do homem. Essa convicção universal impressiona tanto por sua duração quanto por sua intensidade. Aqueles indivíduos do passado a quem ainda consideramos os maiores e mais sábios não só compartilham dessa crença como consideram-na, entre todas as verdades, a mais importante e a mais profunda.

CAPÍTULO 3

Progressões

I

Os quatro níveis do ser possuem características dispostas de uma maneira que chamarei de *progressões*. Talvez a mais surpreendente destas seja o movimento da passividade para a atividade. No nível mais inferior, o dos "minerais" ou da matéria inanimada, há pura passividade. Uma pedra é totalmente passiva, um puro objeto, totalmente dependente das circunstâncias, contingente. Nada pode fazer, nada ordena, nada utiliza. Mesmo a matéria radioativa é totalmente passiva. Uma planta é quase, mas não totalmente passiva; não é somente um objeto; tem certa capacidade limitada para adaptar-se às mudanças: cresce em direção à luz e faz crescer as suas raízes em direção à umidade e aos nutrientes do solo. Em certo grau, a planta é *sujeito* de sua própria força de fazer, ordenar e utilizar. Pode-se dizer até que há uma insinuação de inteligência ativa nas plantas — não como a dos animais, é claro. No nível "animal", além do surgimento da consciência há um impressionante salto da passividade à atividade. Os processos vitais se aceleram e as atividades tornam-se mais autônomas, como demonstra o livre e freqüente impulso ao movimento — não uma virada gradual em direção à luz, mas uma ação imediata para obter alimento ou fugir do perigo. O poder de fazer, ordenar e utilizar aumenta imensuravelmente; há evidências de "vida interior", de alegria e tristeza, confiança, medos, expectativas, desapontamento e assim por diante.

Qualquer ser com uma vida interior deixa de ser mero objeto: é ele mesmo um sujeito, capaz, inclusive, de tratar outros seres como meros objetos — como o gato trata o rato. No nível humano, há um sujeito que diz "eu" — uma pessoa: outra mudança notável da passividade para a atividade, de objeto para sujeito. Tratar um ser humano como se fosse um objeto é uma perversidade — para não dizer um crime. Independentemente do quanto uma pessoa possa ser oprimida e escravizada pelas circunstâncias, a possibilidade de auto-afirmação e de superação é um fato. O homem pode conquistar alguma medida de controle sobre as coisas ao seu redor — e, assim, sobre sua própria vida — e utilizá-las para seus próprios fins. Não há limites definidos para as suas possibilidades, mesmo que haja, em todos os lugares, limitações práticas as quais ele deve reconhecer e respeitar.

O avanço progressivo da passividade para a atividade, que observamos ao examinar os quatro níveis do ser, realmente impressiona, mas não está completo. Uma grande carga de passividade mantém-se mesmo no mais soberano e autônomo ser humano; mesmo que, sem dúvida, seja um sujeito, ele permanece como objeto em alguns aspectos — dependente, contingente, levado pelas circunstâncias. Consciente disso, a humanidade valeu-se sempre de sua imaginação, de suas forças intuitivas, para completar o processo, para extrapolar (como se diz hoje em dia) a curva traçada até a sua conclusão. Assim foi concebido um ser, completamente ágil, soberano e autônomo; uma *pessoa* sobre todas as outras, de maneira alguma um objeto, além de todas as circunstâncias e contingências, com total controle sobre tudo: um Deus *pessoal*, o "motor imóvel". Os quatro níveis do ser, desta forma, são vistos como se apontassem para a existência invisível de um nível (ou mais) de ser acima do humano.

Um aspecto interessante e esclarecedor do avanço da passividade para a atividade é a mudança na origem do movimento. Está claro que, no caso da matéria inanimada, não pode haver movimento sem uma causa física — aí está uma relação de causa e efeito. No nível vegetal a cadeia é mais complexa: ações físicas terão efeitos físicos, assim como no nível mais baixo — o vento irá balançar a árvore, quer esteja viva, quer não —, mas certas ações físicas não são apenas causas: funcionam, simultaneamente, como *estímulos*. Os raios de Sol fazem as plantas virarem-se em direção ao Sol. Ao inclinar-se demasiado para uma direção, suas raízes crescem mais fortes do lado oposto. No nível animal, mais uma vez, a causa do movimento é mais complexa. Um animal pode ser empurrado por aí, como uma pedra; ou também pode ser estimulado, como uma planta; mas há ainda outro fator que surge em seu interior: certas inclinações, atrações ou compulsões de origem não-física, que podem ser chamadas de *motivações*. Um cão é motivado, e por isso não se move simplesmente em reação a forças físicas ou a estímulos externos — age, também, por forças originadas em seu "interior": identifica o seu dono, salta de alegria, reconhece o inimigo, foge do perigo.

Enquanto no nível animal a motivação deve estar fisicamente presente para existir efetivamente, no nível humano isso não é necessário. A força da autoconsciência lhe possibilita outra maneira de gerar movimento: a *vontade*, ou seja, o poder de agir e mover-se mesmo se não houver coerção física, estímulos externos ou qualquer motivação fisicamente presente. Há muitas controvérsias acerca da vontade. Quão livre ela é? Daremos conta disso mais tarde. No presente contexto nos é necessário apenas reconhecer que, no nível humano, existe mais uma possibilidade de se gerar movimento — uma possibilidade que não parece existir em nenhum nível inferior, isto é, o movimento cuja base pode ser chamada de "visão direta". Uma pessoa pode ir para outro lugar não porque as condições de seu ambiente atual motivem-na a fazê-lo, mas porque a sua mente pode antecipar certos acontecimentos futuros. Embora não haja dúvidas de que os seres humanos possuam, em algum grau, essas capacidades adicionais — o poder da previsão e, com ele, o poder de antecipar possibilidades futuras —, é evidente que elas variam muito (e que a maioria de nós somos muito fracos). É possível imaginar um nível de ser sobre-humano em que essas capacidades pudessem existir com perfeição. Uma previsão precisa do futuro seria, por isso, considerada um atributo divino, associado à perfeita liberdade de movimento e perfeita liberdade em relação à passividade. O avanço da causa física para o estímulo, para a motivação e para a vontade seria então encerrado pela perfeição da vontade, capaz de atravessar todas as forças causais que operam nos quatro níveis do ser que conhecemos.

II

O avanço da passividade para a atividade é similar e estreitamente relacionado com o avanço da necessidade para a liberdade. É fácil ver que no nível mineral não há nada além de necessidade. A matéria inanimada é o que é e não pode ser outra coisa; não há escolha, nenhuma possibilidade de "desenvolver-se" ou de qualquer outra mudança em sua natureza. A assim chamada indeterminação no nível das partículas nucleares é outra manifestação de necessidade, pois a necessidade total indica a ausência de qualquer outro princípio criativo. Como eu disse anteriormente, a matéria é análoga à dimensão zero — uma espécie de nada, que, em última análise, indica que não há nada a ser determinado. A "liberdade" da indeterminação é, na verdade, o extremo oposto da liberdade: um tipo de necessidade que pode ser compreendida apenas nos termos da probabilidade estatística. No nível dos seres inanimados não existe "espaço interno" onde qualquer poder autônomo possa ser disposto. Como iremos perceber, *o espaço interior é o cenário da liberdade*. Conhecemos pouco ou quase nada a respeito do "espaço interior" das plantas, um pouco mais sobre o dos animais e uma grande parte do "espaço interno" humano: o espaço da personalidade, da criatividade, da liberdade. O espaço interno é criado pelas forças da vida, consciência e autoconsciência;

mas nós temos experiência direta e pessoal apenas com o nosso próprio "espaço interno" e com a liberdade que ele *nos* proporciona. Uma observação mais atenta revela que a maioria de nós, na maior parte do tempo, comporta-se e age mecanicamente, como uma máquina. O poder exclusivamente humano da autoconsciência está desacordado, e o homem age como um animal — de maneira mais ou menos inteligente —, apenas em resposta às influências externas. É apenas quando o homem faz uso de seu poder de autoconsciência que ele se eleva ao nível de pessoa, ao nível da liberdade. Nesse momento ele está vivendo, e não sendo vivido. Há ainda inúmeras forças da necessidade, acumuladas no passado, que determinam suas ações; mas uma pequena fenda está sendo aberta, uma mudança sutil de direção é apresentada. Podem ser virtualmente imperceptíveis, mas muitos momentos de autoconsciência são capazes de gerar muitas mudanças e até mesmo de mudar a direção de um movimento determinado para uma direção totalmente oposta.

Questionar por que o ser humano é livre é como questionar por que o homem é milionário. Ele não é, mas pode tornar-se milionário. Ele pode determinar seu objetivo de enriquecer, e da mesma maneira pode determinar como seu objetivo libertar-se. Em seu "espaço interior" o homem pode desenvolver um centro de força tal que a força de sua liberdade ultrapasse a da necessidade. É possível imaginar um ser perfeito, que sempre, invariavelmente, exerce seu poder de autoconsciência, que é o poder da liberdade, em máximo grau, sem ser movido por qualquer necessidade. Este seria um Ser Divino, uma força onipotente e soberana, a perfeita Unidade.

III

Há também um avanço notável e inconfundível em direção à integração e à unidade. No nível mineral, não há integração. A matéria sem vida pode ser dividida e subdividida sem que haja perda da *Gestalt*, simplesmente porque não tem nada a perder no nível em que está. Mesmo no nível vegetal a unidade interior é tão frágil que partes de uma planta podem ser arrancadas e mesmo assim ambas — a parte e a planta — continuarão a viver e desenvolver-se separadamente. Os animais, ao contrário, são seres muito mais integrados. Como um sistema biológico, o animal é uma unidade e suas partes não sobrevivem separadamente. Há, porém, uma pequena integração no plano mental, o que quer dizer que mesmo o animal mais evoluído alcança apenas um nível muito modesto de raciocínio e consistência; sua memória, no geral, é fraca, e seu intelecto, vago.

É óbvio que a unidade interior humana é mais consistente que a de todos os seres abaixo dele, embora a integração, como reconhece a psicologia moderna, não lhe seja garantida com o nascimento e permaneça como uma de suas mais árduas tarefas. Como sistema biológico, ele é integrado mais harmoniosamente; no plano mental a integração é menos completa, mas pode aprimorar-se consideravelmente através do ensino. Como uma pessoa, ou seja, um ser com a capacidade de autoconsciência, o homem é em geral tão insuficientemente integrado que vê a si mesmo como uma reunião de diferentes personalidades, mesmo dizendo "eu". A expressão clássica dessa experiência é encontrada na epístola de São Paulo aos romanos:

> Não entendo o que faço; não faço o bem que quero, mas o mal que não quero. Ora, se eu faço o que não quero, reconheço por isso que a Lei é boa. Neste caso já não sou eu que faço isto, mas sim o pecado que habita em mim. (Rm 7, 15–17)

Integração é a criação de uma unidade interna, um centro de força e liberdade que faz com que o ser deixe de ser mero objeto, de agir sob influência de forças externas, e torne-se um sujeito, agindo de acordo com seu "espaço interior" em direção ao espaço que o rodeia. Uma das grandes afirmações escolásticas em relação a esse avanço da integração está na *Suma contra os gentios*, de São Tomás de Aquino:

> Com efeito, os corpos inanimados ocupam o ínfimo lugar nas coisas, nas quais as emanações não se dão senão pela ação de um deles em um outro. Assim, por exemplo, do fogo é gerado o fogo, enquanto um corpo estranho se altera pelo fogo e recebe a qualidade e a espécie do fogo.

O próximo lugar é ocupado pelas plantas, nos corpos animados. Nelas, a emanação já procede do interior, enquanto a seiva interior da planta se converte em semente, e a semente, posta na terra, converte-se na planta. Aqui já se vê um primeiro grau da vida, pois os viventes são os seres que se movem por si mesmos para a operação. Com efeito, as coisas que possuem somente movimento externo são totalmente carentes de vida. Mas, nas plantas já há um indício de vida, pois o que há nelas as move para uma forma.

Não obstante, a vida das plantas é imperfeita, porque a emanação que delas procede, embora venha do interior, contudo, as emanações que lentamente lhes vem do interior terminam totalmente no exterior. Assim é que a seiva procedente da árvore primeiro torna-se flor, depois, fruto separado do córtice da árvore, mas pendente dele. Por fim, o fruto amadurecido separa-se totalmente da árvore e, caindo na terra, produz outra planta, pela virtude da semente. Se, vistas estas coisas, considerar-se ainda atentamente, ver-se-á que o primeiro princípio desta emanação provém do exterior, pois a seiva do interior da árvore vem das raízes que a tiram da terra, que dá o alimento às plantas.

Acima da vida das plantas, há também um grau de vida mais elevado, na ordem da vida sensitiva, cuja emanação própria, embora inicialmente venha do exterior, termina no interior. Ademais, quanto maior for a emanação, tanto mais íntima ela se torna. Com efeito, o sensível externo introduz a sua forma nos sentidos externos, dos quais ela vai para a imaginação, e, finalmente, para o tesouro da memória. No entanto, em cada parte desta emanação, o princípio e o termo pertencem a potências diversas, pois em nenhuma potência sensitiva há reflexão sobre si mesma. Por isso, este grau de vida é tanto mais elevado que o das plantas, quanto é mais intimamente possuída a operação vital. No entanto, não é ainda uma vida perfeita, porque a emanação sempre se processa de uma potência para outra.

Há ainda o grau supremo e perfeito da vida, que é o da vida segundo o intelecto, pois o intelecto tem a reflexão sobre si mesmo e pode conhecer-se. Mas na vida intelectiva há diversos graus.

Com efeito, o intelecto humano, embora possa conhecer-se, contudo, o primeiro início do conhecimento tira do exterior, porque não há intelecção sem os fantasmas, como se depreende do que acima foi dito.

Mais perfeita ainda é a vida intelectiva dos anjos, nos quais o intelecto para se conhecer não tem o seu ato procedente do exterior, mas por si mesmo se conhece. No entanto, a vida deles ainda não atinge a última perfeição, porque, embora a intenção inteligida seja-lhes totalmente intrínseca, contudo esta intenção inteligida não se identifica com a substância deles, porque nos anjos o ser e a intelecção não se identificam, como se depreende do que acima foi dito.

Finalmente, a última perfeição de vida pertence a Deus, e em Deus se identificam a intelecção e o ser, como acima foi demonstrado, e assim, necessariamente, em Deus a idéia concebida no intelecto é a própria essência divina.[1]

O trecho, cujo raciocínio talvez pareça estranho ao leitor moderno, deixa bem claro que "mais elevado" sempre significa e implica "mais interior", "mais íntimo", "mais profundo", "mais secreto"; enquanto que "inferior" refere-se a "mais externo", "mais exterior", "mais difuso", "menos profundo". Essa sinonímia pode ser encontrada em muitos idiomas, talvez em todos eles.

Quanto mais "íntimo" é algo, menos se pode vê-lo. A progressão da visibilidade é mais uma faceta da hierarquia dos níveis do ser. Não é preciso se estender muito nela. É claro que os termos "visibilidade" e "invisibilidade" não se referem apenas ao sentido da visão, mas a todos os sentidos da observação exterior. As forças da vida, da consciência e da autoconsciência sobre as quais falamos ao estudar os quatro níveis do ser são todas invisíveis; não têm cor, som, "pele", gosto ou cheiro, e tampouco extensão ou peso. No entanto, quem negaria que são elas as que mais nos instigam? Quando compro um pacote de sementes minha principal preocupação é que seu conteúdo esteja vivo, não morto, e um gato inconsciente, mesmo que ainda esteja vivo, não é um gato real, para mim, a menos que recobre a sua consciência. A invisibilidade do homem foi precisamente descrita por Maurice Nicoll:

> Todos nós podemos ver diretamente o corpo do outro. Vemos os lábios movendo-se, os olhos se abrindo e fechando, as linhas da boca e do rosto alterando-se e o corpo expressando-se como um todo em ação. A pessoa, em si, e invisível...
> Se o aspecto invisível de cada um pudesse ser visto tão claramente quanto seu aspecto visível, viveríamos uma nova humanidade. Do jeito que estamos, vivemos uma humanidade visível, uma humanidade de *aparências*...

---

[1] Santo Tomás de Aquino, *Suma contra os gentios*, IV, xi, 1–4. Campinas: Editora Ecclesiae, 2017, pp. 625-6.

PROGRESSÕES

> Todos os nossos pensamentos, emoções, sentimentos, devaneios, fantasias, sonhos — são *invisíveis*. Tudo o que pertence aos nossos planos, planejamento, segredos, ambições, todas as nossas esperanças, medos, dúvidas, impressões, todos os nossos afetos, especulações, ponderações, tolices, incertezas, todos os nossos desejos, saudades, apetites, sensações, nossos gostos, desgostos, aversões, atrações, amores e ódios — é invisível. Eles constituem o "si mesmo".[2]

Dr. Nicoll insiste que, ainda que tudo isso talvez pareça óbvio, não o é, absolutamente:

> É extremamente difícil compreendê-lo. [...] Nós não compreendemos que somos invisíveis. Não percebemos que estamos em um mundo de pessoas invisíveis. Não compreendemos que *a vida, antes de quaisquer definições, é um drama entre o visível e o invisível*.[3]

É no mundo externo que as coisas são visíveis, ou seja, diretamente acessíveis aos nossos sentidos; e há o "espaço interior", onde as coisas são invisíveis, ou seja, não são diretamente acessíveis para nós, exceto tratando-se de nós mesmos. Esse ponto essencial será longamente exposto em um capítulo adiante.

A progressão do mineral totalmente visível para o amplamente invisível ser humano pode ser considerada um indicativo de níveis de ser para além do homem que podem ser totalmente invisíveis aos nossos sentidos, assim como são totalmente visíveis, do outro lado da escala, o nível dos minerais. Não devemos nos espantar que a maior parte das pessoas ao longo da história da humanidade acreditasse implicitamente na veracidade dessa projeção; sempre clamaram por isso; assim como podemos aprender a "enxergar" a invisibilidade das pessoas ao nosso redor, também podemos desenvolver a capacidade de "enxergar" os seres totalmente invisíveis que estão nos níveis acima de nós.

(Como um leitor de mapas filosóficos tenho o dever de colocar esses tópicos essenciais em meu mapa, para poder ver onde eles se

---

2 Maurice Nicoll, *Living Time*. Londres, 1952, cap. 1.
3 Maurice Nicoll, op. cit.

localizam e como se relacionam com as outras coisas, mais próximas. Se um leitor, viajante ou peregrino desejar explorá-los, fica por conta deles).

IV

O grau de integração, de força e coerência intrínsecas está intimamente associado ao tipo de "mundo" que existe para os seres de diferentes níveis. A matéria inanimada não tem um "mundo". Sua total passividade é equivalente ao total vazio de seu mundo. As plantas têm um "mundo" em si mesmas — um pouco de terra, água, ar, luz e outras influências — um "mundo" limitado às suas modestas necessidades biológicas. O mundo de qualquer animal superior é incomparavelmente maior e mais rico, embora ainda seja essencialmente determinado por suas necessidades biológicas, como demonstraram plenamente os novos estudos de psicologia animal. Mas há algo além — a curiosidade, por exemplo — que amplia o mundo animal para além das limitadas fronteiras biológicas.

Mais uma vez, o mundo do homem é incomparavelmente maior e mais rico; de fato, a filosofia tradicional afirma que o homem é *capax universi*, capaz de trazer todo o universo para a sua experiência. O que ele irá apreender efetivamente depende de seu nível de ser individual. Pessoas "mais elevadas" têm mundos maiores e mais ricos. Por outro lado, uma pessoa totalmente atada à filosofia do materialismo científico, negando a realidade das coisas "invisíveis" e dirigindo sua atenção tão-somente ao que pode ser contado, medido e pesado, vive em um mundo pobre, tão pobre que irá experimentá-lo como uma terra devastada de sentido, inadequada para a habitação humana. Da mesma maneira, se o vê como nada além de um arranjo acidental de átomos, terá de concordar com Bertrand Russel que a única postura razoável é a de "inexorável desespero".

Já foi dito (por Gurdjieff a seus pupilos) que "seu nível de ser atrai a sua vida". Não há suposições obscuras ou não-científicas em sua fala. Em um nível inferior do ser existe apenas um mundo inferior, onde só podem viver formas muito escassas de vida.

O universo é o que é, mas aquele que, apesar de ser *capax universi*, limita-se aos aspectos mais baixos — a suas necessidades biológicas, confrontos ou encontros fortuitos — inevitavelmente "atrairá" uma vida miserável. Se ele é capaz de reconhecer apenas a sua "luta pela sobrevivência" e "desejo de poder", reforçado pela astúcia, seu "mundo" será aquele que descreve Hobbes: "Solitário, miserável, sórdido, bestial e breve".

Quanto mais elevado o nível do ser, maior, mais rico e maravilhoso é o mundo. Se, mais uma vez, extrapolarmos o nível humano, podemos compreender por que o divino era considerado não só *capax universi* mas o seu detentor total e completo, atento a tudo, onisciente — "Não se vendem cinco passarinhos por dois asses, e todavia nem um só deles está em esquecimento diante de Deus?" (Lc 12, 6).

Ao levarmos em conta a "quarta" dimensão — o tempo — temos um cenário similar. No nível mais baixo, o tempo existe apenas em seu sentido de duração. Para seres dotados de consciência há o tempo como experiência; mas a experiência fica gravada no presente, exceto quando o passado se apresenta através da memória (de um tipo ou de outro) e o futuro se apresenta através de uma previsão (as quais, mais uma vez, podem ser de diferentes tipos). Quanto mais elevado o nível do ser, mais "vasto", por assim dizer, o presente; mais ele envolve o que, nos mais baixos níveis do ser, são presente e futuro. No Nível do Ser mais alto que podemos imaginar estaria o "eterno agora". Talvez seja esse o significado da seguinte passagem em Apocalipse 10, 5-6:

> E o anjo, que eu vira de pé sobre o mar e sobre a terra, levantou a sua mão ao céu, e jurou, por aquele que vive pelos séculos dos séculos, que criou o céu e tudo o que nele há, e a terra e tudo o que há nela, e o mar e tudo o que nele há, que não haveria mais tempo.

V

É quase infinito o número de "progressões" que podem ser somadas a essas já descritas; mas não é esse o propósito deste livro. O leitor será capaz de completar o que lhe parecer de maior interesse.

Talvez ele esteja mais interessado na questão das "causas finais". Seria legítimo explicar ou mesmo descrever determinado fenômeno em termos teleológicos, isto é, em função de seu propósito? É absurdo responder tal questão sem mencionar o nível do ser do qual o fenômeno faz parte. Negar a ação teleológica no nível humano seria tão tolo quanto atribuí-la ao nível da matéria inanimada. Por isso não há razão para admitir que resquícios ou reminiscências de ações teleológicas não poderiam ser encontrados nos níveis intermediários.

Os quatro principais níveis de ser podem ser comparados a uma pirâmide invertida, em que cada nível mais elevado abrange todos os que estão embaixo e está aberto às influências de tudo o que está em cima. Todos os quatro níveis coexistem no ser humano, o qual, como já vimos, pode ser descrito pela fórmula:

$$\text{Ser humano} = m+x+y+z$$
$$= \text{mineral} + \text{vida} + \text{consciência} + \text{autoconsciência}$$

Não por acaso, muitas doutrinas descrevem o homem como detentor de quatro "corpos", a saber:

o corpo físico (equivale a m)
o corpo etéreo (equivale a x)
o corpo astral (equivale a y)
e o "eu" ou "ego" ou pessoa ou espírito (equivale a z)

Sob a luz de nossa compreensão acerca dos quatro níveis do ser, descrições do homem como um ser quaternário tornam-se mais plausíveis. Algumas doutrinas consideram $m+x$ uma coisa só — o corpo vivo (pois um corpo sem vida não desperta interesse algum), e por isso afirmam que o homem é um ser ternário, formado por corpo ($m+x$), alma (y) e espírito (z). Conforme o interesse das pessoas voltou-se cada vez mais para o mundo visível, tornou-se cada vez mais difícil manter a distinção entre alma e espírito — distinção que está quase abandonada por completo; do homem, então, considerou-se que era composto apenas de corpo e alma. Com a ascensão do materialismo científico, enfim, até as almas desapareceram da descrição do homem — como poderia existir se não pode ser pesado ou medido? —, exceto como mais um entre os estranhos atributos das complexas combinações de átomos e moléculas. Por que não aceitar a assim chamada "alma" — uma porção de forças surpreendentes — como um *epifenômeno* da matéria, do mesmo modo como foi aceito o magnetismo? O universo deixou de ser considerado uma vasta estrutura hierárquica ou uma cadeia do ser: passou a ser visto simplesmente como um arranjo de átomos; e o homem, tradicionalmente considerado o microcosmo, reflexo do macrocosmo (ou seja, da estrutura do universo), já não era mais visto como *cosmos*, uma criação dotada de sentido, embora misteriosa. Se o grande cosmos é visto como nada além de um caos de partículas sem propósito ou significado, então o homem deve ser visto como um caos de partículas sem propósito ou significado — um caos sensível, sim, capaz de sentir dor, angústia e desespero, mas ainda assim um caos (quer ele queira, quer não) — um infeliz acidente cósmico sem qualquer conseqüência.

Este é o quadro apresentado pelo materialismo científico moderno, e a questão que ele suscita é: isso faz algum sentido de acordo com o que podemos, de fato, experimentar? Cada um deve responder a essa questão por si mesmo. Aqueles que permanecerem admirados e aterrorizados, maravilhados e perplexos, contemplando os quatro níveis do ser, não serão persuadidos facilmente de que existe apenas *mais* ou *menos* — isto é, a extensão horizontal. Eles acharão impossível encerrar as suas mentes em "superior" e "inferior" — quer dizer, a escalas verticais e descontinuidades. Se eles, então, virem o homem como *maior* do que qualquer arranjo, não importa quão complexo, de matéria inanimada, e *maior* que os animais, não importa quão avançados, também poderão ver o homem como "ilimitado", não em relação ao nível mais alto, mas com um potencial que pode de fato conduzi-lo à perfeição. Esta é a mais importante compreensão que se tem a partir do estudo dos quatro grandes níveis do ser: no nível humano, não há um teto ou limite visível. A autoconsciência, que constitui a diferença entre o homem e os animais, é uma capacidade de potencial infinito, uma força que não só faz do homem humano, mas lhe dá a possibilidade, e mesmo a necessidade, de tornar-se super-humano. Como diziam os escolásticos, *homo non proprie humanus sed superhumanus est*, que significa que, para ser devidamente humano, é preciso ser mais que um simples humano.

CAPÍTULO 4

Adaequatio I

O que habilita o homem a saber qualquer coisa a respeito do mundo ao seu redor? "Saber exige o órgão adequado ao objeto", afirma Plotino. Nada pode ser conhecido se o conhecedor não possui um "instrumento" apropriado. É essa a grande verdade da *adaequatio* (adequação), que define o conhecimento como *adaequatio rei et intellectus*: a compreensão do sujeito deve ser *adequada* ao objeto a ser conhecido.

De Plotino, outra vez, veio a famosa citação: "Nunca os olhos viram o Sol sem que tivessem se tornado como o Sol, e nunca pôde a alma ter a visão da Beleza Suprema sem que seja ela mesma bela". John Smith, o platonista (1618-1652), afirma que "o que nos capacita a conhecer e compreender corretamente as coisas de Deus deve ser um princípio vivo de santidade dentro de nós"; a isso podemos acrescentar a declaração de São Tomás de Aquino (1225-1274), que diz que "o conhecimento se opera por estar o conhecido no conhecente".[1]

Já vimos anteriormente que o homem encerra em si, de algum modo, os quatro grandes níveis do ser; que há, portanto, certo grau de correspondência ou "conaturalidade" entre a estrutura do homem e a estrutura do mundo. Esse é um conceito bastante antigo e foi comumente expresso ao se denominar o homem um "microcosmo", que corresponde de alguma maneira ao "macrocosmo" que é o mundo. Ele é um sistema físico-químico, assim como o resto do mundo, e também possui as misteriosas e invisíveis forças da vida, da consciência e da autoconsciência que pode detectar — todas ou algumas delas — nos seres à sua volta.

Nossos cinco sentidos corporais fazem que sejamos "adequados" ao nível mais baixo de ser — a matéria inanimada. Porém, esta não nos pode oferecer senão dados sensíveis, e para "dar sentido" a eles precisamos de habilidades e competências de outra ordem. Podemos chamá-los de "sentidos intelectuais". Sem eles não seríamos capazes de reconhecer formas, padrões, ordens, harmonia, ritmos e significados, além, é claro, da vida, da consciência e da autoconsciência. Enquanto os sentidos físicos podem ser descritos como relativamente passivos, meros receptores dos acontecimentos e amplamente controlados pela mente, os sentidos intelectuais são *mente em ação*, e seu alcance e perspicácia são qualidades mentais em si. Quanto aos sentidos do corpo, todas as pessoas saudáveis têm habilidades semelhantes; mas não se pode ignorar o fato de que há diferenças significativas na capacidade e extensão das mentes de cada uma. Quanto aos sentidos intelectuais, portanto, é totalmente impossível tentar definir e delimitar as capacidades do "homem" em si — como se todos os seres humanos fossem a mesma coisa, como animais da mesma espécie.

---

1 *Suma teológica*, ia, q. 59, art. 2, solução — NE.

As habilidades de Beethoven, mesmo em sua surdez, eram incomparavelmente maiores que as minhas, e a diferença não está no sentido da audição; está na mente. Algumas pessoas são incapazes de apreender e apreciar determinada peça musical, não por serem surdas, mas porque em sua mente falta *adaequatio*. A audição não recebe nada além de uma sucessão de notas; a música é compreendida através de forças intelectuais. Algumas pessoas carregam essas forças em tal nível que conseguem compreender e guardar na memória uma sinfonia inteira com uma única audição ou com a leitura de sua partitura; outras, por outro lado, são tão pouco providas que não conseguem absorver de maneira nenhuma, não importa quantas vezes a escutem. Para o primeiro, a sinfonia é tão real quanto para o compositor; para o último, não há sinfonia: aquilo tudo não passa de uma sucessão mais ou menos agradável de ruídos sem qualquer significado. A mente do primeiro é *adequada* à sinfonia; a do último é *inadequada*, e por isso ele é incapaz de reconhecer a existência da sinfonia. O mesmo raciocínio aplica-se a toda a gama de experiências humanas, possíveis ou atuais. Para cada um de nós existem apenas aqueles acontecimentos e fenômenos para os quais temos *adaequatio*, e o fato de não podermos presumir que somos necessariamente adequados a tudo, o tempo todo e em quaisquer condições que nos encontremos, nos desautoriza a insistir que algo inacessível para nós não existe e é apenas um fantasma na imaginação de outra pessoa.

Existem acontecimentos físicos que são assimilados pelos sentidos do corpo; mas também existem acontecimentos não-físicos que passam despercebidos a menos que a ação dos sentidos seja dirigida e completada por certas habilidades "superiores" da mente. Alguns desses acontecimentos não-físicos representam "graus de significação" — para usar um termo de G. N. M. Tyrrell, que apresenta a seguinte definição:

> Tomemos como exemplo um livro. Para um animal, um livro é apenas uma forma colorida. Qualquer significado além desse está acima do nível de seu intelecto. E o livro *é* uma forma colorida, o animal não está errado. Para dar um passo adiante, um selvagem não-instruído verá o livro como uma infinidade de marcas seqüenciadas no papel.

> Assim é o livro visto de um nível de significação superior ao do animal, que corresponde ao nível de pensamento do selvagem. Mais uma vez, não está errado, mas o livro pode significar mais. Ele pode ser uma série de letras dispostas de acordo com determinadas regras. Assim é o livro em um nível de significação mais elevado que o do selvagem [...]. Finalmente, num nível ainda mais elevado, o livro pode ser visto como a expressão de um propósito [...].[2]

Em todos esses casos os "dados sensíveis" são os mesmos; o que se apresenta ao olhar é sempre idêntico. Não são os olhos, mas a mente que pode estabelecer os "graus de significação". As pessoas costumam dizer: "Deixemos que os fatos falem por si mesmos"; mas elas se esquecem de que o discurso dos fatos só é real se o escutarmos e percebermos. Acredita-se que é simples distinguir fato e teoria, percepção e interpretação. Na verdade, é extremamente difícil. Você olha para a Lua cheia no horizonte, contra o contorno de alguns prédios e árvores, e ela lhe parece um disco tão grande quanto o Sol; mas a Lua cheia bem acima de sua cabeça parece um tanto pequena. Quais são as imagens da Lua efetivamente recebidas pelos olhos? Em ambos os casos é a mesma. E, ainda assim, mesmo que você saiba disso, sua mente dificilmente lhe permitirá ver os dois discos do mesmo tamanho. "A percepção não é determinada simplesmente pelo padrão de estímulo", escreve R. L. Gregory em *Eye and Brain* [O olho e o cérebro]; "na verdade, é a busca dinâmica pela melhor interpretação dos dados disponíveis".[3] Essa busca não se utiliza apenas de informações sensoriais, mas também de outros conhecimentos e experiências, embora o quanto a experiência afeta a percepção, diz Gregory, seja uma questão de difícil solução. Em suma, podemos dizer que não vemos nada apenas com os nossos olhos, mas com grande parte de nosso aparato intelectual, e, como esse aparato intelectual varia amplamente de pessoa para pessoa, há muitas coisas que certas pessoas conseguem ver e outras não — em outras palavras, coisas às quais certas pessoas são *adequadas* enquanto outras não são.

2 G. N. M. Tyrrell, *Grades of Significance*. Londres, 1930.
3 R. L. Gregory, *Eye and Brain: The Psychology of Seing*. Londres, 1966.

Quando o nível (ou grau de significação) do conhecedor não é adequado ao seu objeto de estudo, o resultado não é só o equívoco, mas algo muito mais sério: uma visão empobrecida e inadequada da realidade. Tyrrell leva sua explanação adiante, como se segue:

> Suponhamos que o livro tenha caído nas mãos de seres inteligentes que nada sabem sobre o significado da escrita e da imprensa, mas estão acostumados a lidar com as conexões externas das coisas. Eles tentam descobrir as "leis" do livro, que para eles são os princípios que governam a ordem em que as letras estão organizadas [...]. Por fim, acreditarão que descobriram as leis do livro quando conseguirem definir certas regras condutoras das relações externas entre as letras. Nunca lhes passará pela cabeça que cada palavra e cada sentença têm um significado, pois seu escopo de pensamento é formado apenas por conceitos que envolvem as relações exteriores, e o esclarecimento, para eles, significa resolver o quebra-cabeças dessas relações externas [...]. Seus métodos nunca alcançarão o grau [de significação] que contém a idéia de "significados".[4]

Assim como o mundo é uma estrutura hierárquica, e, portanto, faz sentido falar em "superior" e "inferior", também os sentidos, órgãos, as forças e outros "instrumentos" através dos quais o ser humano busca e obtém conhecimento do mundo formam uma estrutura hierárquica de "superior" e "inferior". "O que está em cima é como o que está embaixo", diziam os antigos: ao mundo lá fora corresponde, de certo modo, o mundo dentro de nós. E assim como os níveis mais elevados são mais raros e mais excepcionais que os mais baixos — as substâncias minerais são onipresentes; a vida é uma fina camada sobre a Terra; a consciência, relativamente escassa; e a autoconsciência, a grande exceção — o mesmo acontece com as habilidades das pessoas. As habilidades inferiores, como ver e contar, pertencem a cada ser humano saudável, enquanto as habilidades mais elevadas, como aquelas necessárias para perceber e apreender os mais sutis aspectos da realidade, estão cada vez menos presentes à medida que subimos a escala.

---

4 Tyrrell, op. cit.

Existem desigualdades nos dons humanos, mas provavelmente elas têm menos importância do que as diferenças nos interesses, e no que Tyrrell chama de "contexto do pensamento". Os seres inteligentes do exemplo de Tyrrell não tinham *adaequatio* em relação ao livro pois baseavam-se na teoria de que tudo o que importa é a "relação externa entre as palavras". Eles eram o que chamamos de materialistas científicos, cuja fé é que a realidade objetiva é limitada àquilo que pode ser efetivamente observado e que são guiados por uma aversão metódica ao reconhecimento de níveis superiores ou graus de significação.

O nível de significação ao qual um observador ou pesquisador tenta se sintonizar não é determinado por seu intelecto, mas por sua fé. Os fatos em si que ele irá observar não contêm um rótulo indicando o nível apropriado sob o qual devem ser considerados. Tampouco a seleção de um nível inadequado conduz o intelecto ao erro factual ou à contradição lógica. Todos os graus de significação superiores ao nível adequado — superior, por exemplo, ao nível do significado no caso do livro — são igualmente factuais, igualmente lógicos e objetivos, porém não igualmente *reais*.

É questão de fé a escolha do nível de minha investigação; daí o ditado "Credo ut intelligam" — creio para ser capaz de compreender. Se me falta a fé, e, conseqüentemente, escolho um nível inadequado de significação para a minha investigação, nenhum grau de "objetividade" irá impedir que eu perca o sentido do objeto todo, e privo-me a mim mesmo de toda a capacidade de compreensão. Eu seria, então, um daqueles sobre os quais se falou, que "vendo não vêem, e ouvindo não ouvem, nem entendem" (Mt 13, 13).

Em suma, quando lida com algo que representa um grau mais alto de significação ou nível de ser mais elevado que a matéria inanimada, o observador não depende somente da adequação de suas próprias habilidades superiores, mesmo que desenvolvidas pelo aprendizado e pela prática; ele também depende da adequação de sua "fé", ou, como se costuma dizer, de seus pressupostos fundamentais e crenças mais básicas. Nesse aspecto ele tende a ser um filho de seu tempo e da civilização na qual passou os anos de sua formação; pois a mente humana, em geral, não pensa, somente: ela pensa com idéias, a maioria das quais simplesmente adota e assume da sociedade ao redor.

Não há nada mais difícil do que tornar-se criticamente consciente dos pressupostos do pensamento de alguém. Tudo pode ser visto claramente, exceto o olho pelo qual se vê. Todo pensamento pode ser examinado, exceto o pensamento através do qual o examinamos. É necessário um esforço especial — um esforço de autoconsciência; a façanha do pensamento que recua sobre si mesmo: é quase impossível, mas não totalmente. Na verdade, é esse o poder que faz do homem *humano*, e mesmo capaz de transcender a própria humanidade. É isso que a Bíblia chama de "partes interiores" dos homens. Como já mencionado, "interior" corresponde a "superior", e "exterior", a "inferior". Os sentidos são os instrumentos mais externos dos homens, e a afirmação "vendo, não vêem, e ouvindo não ouvem" indica menos uma falha nos sentidos do que uma falha interior — "o coração deste povo tornou-se insensível", nada faz com que "entendam com o coração" (Mt 13, 15). Só o coração pode estabelecer a conexão entre os graus mais altos de significação e níveis do ser.

Para o homem sob influência do materialismo científico da época atual, é impossível compreender essas coisas. Ele não acredita em nada mais elevado que o homem, e vê no homem nada além de um animal relativamente desenvolvido. Ele insiste que a verdade pode ser revelada apenas através dos instrumentos do cérebro, que estão localizados na cabeça, não no coração. Tudo isso significa que, para ele, "compreender com o coração" não passa de uma seqüência de palavras sem sentido. Sob esse ponto de vista ele não está enganado: o cérebro, localizado na cabeça e alimentado com dados extraídos dos sentidos corporais, é plenamente adequado para lidar com a matéria sem vida, o mais inferior entre os quatro principais níveis do ser. Além disso, seu trabalho seria possivelmente distorcido se fosse incomodado pela interferência do "coração". Como um materialista, ele acredita que vida, consciência e autoconsciência não são nada além de manifestações de complexas combinações de partículas inanimadas — uma "fé" que torna perfeitamente racional, para ele, a confiança plena nos sentidos corporais, "manter a cabeça no lugar" e rejeitar quaisquer interferências das "forças do coração". Em outras palavras, para ele os níveis mais elevados da realidade simplesmente não existem, pois *a sua fé exclui a possibilidade dessa existência.*

Ele é como o homem que, possuindo um receptor de rádio, recusa-se a usá-lo pois está convencido de que nada além de ruídos atmosféricos pode ser obtido com ele.

A fé não está em conflito com a razão, tampouco pode ser a sua substituta. A fé seleciona o grau de significação ou nível do ser ao qual a busca pelo conhecimento e compreensão deve almejar. Existe fé racional e fé não-racional. A procura por sentido e propósito no nível da matéria inanimada seria tão irracional quanto a tentativa de "explicar" as obras-primas de seres humanos excepcionais como nada além da manifestação de sua influência econômica ou de suas frustrações sexuais. A fé do agnóstico é talvez a mais irracional de todas, pois, exceto se for mera dissimulação, é a decisão de tratar questões significativas como insignificantes; é como dizer (retomando o exemplo de Tyrrell) que "não estou disposto a decidir se um livro é apenas uma forma colorida, uma seqüência de marcas no papel, uma seqüência de letras dispostas de acordo com certas leis ou a expressão de uma idéia". Não surpreende que a sabedoria tradicional sempre tenha tratado o agnosticismo com fulminante desprezo: "Conheço as tuas obras, que não és nem frio nem quente; oxalá foras frio ou quente; mas, porque és morno, e nem frio nem quente, começar-te-ei a vomitar da minha boca" (Ap 3, 16).

A aceitação do testemunho de profetas, sábios e santos que, em diferentes línguas, mas com uma só voz, declararam que o livro deste mundo não é apenas uma forma colorida, mas a expressão de um sentido, não poderia ser considerada um ato de fé irracional; assim como a crença de que há níveis do ser que extrapolam a humanidade e que o homem pode acessá-los ao permitir que sua razão seja guiada pela fé. Ninguém descreveu a jornada do homem rumo à verdade de maneira mais clara que o Bispo de Hipona, Santo Agostinho (354–430):

> O primeiro passo adiante [...] será verificar se a atenção está firme na verdade. É claro que a fé não vê a verdade claramente, mas só tem olhos para ela, olhos que permitem ver que algo é verdadeiro mesmo quando não vêem a razão disso. Eles ainda não vêem a coisa em que acreditam, mas ao menos têm certeza de que não a vêem, e de que,

mesmo assim, ela é verdadeira. O fato de a fé possuir uma verdade oculta, porém certa, é exatamente aquilo que incita a mente a acessar seu conteúdo e a dar à sentença "acredite que você pode entender" (*Crede ut intelligas*) o seu pleno significado.⁵

Podemos ver coisas invisíveis aos nossos sentidos com a luz do intelecto. Ninguém pode negar que verdades matemáticas e geométricas são "vistas" desta maneira. *Provar* uma teoria significa dar-lhe uma forma, através da análise, da simplificação, da transformação ou da análise minuciosa, por meio da qual se possa ver a verdade: e com esta visão não resta possibilidade, e nem necessidade, de provas adicionais.

É possível ver, sob a luz do intelecto, coisas que estão além da matemática e da geometria? Mais uma vez, ninguém pode negar que podemos *ver* o que outra pessoa qualquer pretende, mesmo quando ela não o expressa exatamente. Nossa linguagem do dia-a-dia é testemunha constante desse poder de visão, de captar idéias — muito diferente dos processos de pensar e formular opiniões. Esse poder gera centelhas de compreensão.

> No que concerne a Santo Agostinho, a fé é o coração da questão. *A fé nos diz o que há para ser compreendido*; purifica o coração e permite que a razão vença a discussão; ela possibilita à razão chegar a uma compreensão da Revelação Divina. Em resumo, quando Santo Agostinho fala sobre compreensão, ele sempre tem em mente o produto de uma atividade racional para a qual a fé prepara o caminho.⁶

A fé abre "os olhos da verdade", como dizem os budistas, também chamados "o olho do coração" ou "o olho da alma". Santo Agostinho insistiu que "a nossa principal missão nesta vida é restituir a saúde aos olhos do coração, por meio do qual Deus poderá ser visto". Rumi (1207–1273), o maior poeta sufi da Pérsia, fala sobre "o olho do coração, que está sob infinitas camadas, do qual nossos olhos sensíveis

---

5 Étienne Gilson, *The Christian Philosophy of Saint Augustine*. Londres, 1961.
6 Ibid.

serão somente os resgatadores";[7] John Smith, o platonista, aconselha: "Devemos calar os olhos dos sentidos e abrir os olhos mais radiantes de nossa compreensão, os olhos da alma", como o filósofo chama a nossa faculdade intelectual, "que todos nós temos, mas nem todos usamos".[8] O teólogo escocês Ricardo de São Vitor (m. 1173) diz: "Os sentidos externos compreendem apenas coisas visíveis; só os olhos do coração vêem o invisível".[9]

O poder do "olho do coração", que traz a compreensão, é imensamente superior ao poder do pensamento, que gera *opiniões*. "Ao reconhecer a pobreza de opiniões filosóficas", diz o Buda, "sem aderir a nenhuma delas, em busca da verdade, *eu vi*".[10] O processo de mobilizar os vários poderes que o homem possui gradualmente e, pode-se dizer, organicamente, é descrito assim num texto budista:

> Ninguém pode alcançar todo o conhecimento supremo de uma vez: apenas com a prática gradual, a ação gradual e a descoberta gradual é possível chegar ao perfeito conhecimento. De que maneira? Chega um homem, movido pela confiança; ao chegar, ingressa; ao ingressar, ele ouve; ao ouvir, recebe a doutrina; recebida a doutrina, ele a memoriza; ele examina o sentido das coisas memorizadas; ao examinar seu sentido, ele as aceita; ao aceitá-las, nasce o desejo; ele pondera; ao ponderar, treina sua mente sem descanso; treinando sem descanso, ele descobre em sua mente a mais alta verdade e, penetrando-a com sua sabedoria, *ele vê*.[11]

É esse o processo de adquirir *adaequatio*, de desenvolver o instrumento capaz de ver e, assim, compreender a verdade que não apenas informa a mente, mas liberta a alma. ("Conhecereis a verdade, e a verdade vos tornará livres" — Jo 8, 32).

Como esse assunto tornou-se um tanto incomum no mundo moderno, vale a pena recorrer à citação de um autor mais atual, Dr. Maurice Nicoll:

---

7 Jalal al-Din Rumi, *Mathnawi*, vol. IV. Londres: Gibb Memorial Series, 1926–34.
8 John Smith, o platonista, *Select Discourses*. Londres, 1821.
9 Ricardo de São Vítor, *Selected Writings on Contemplation*. Londres, 1957.
10 *Sutta Nipata*, IV, IX, 3.
11 *Majjhima Nikaya*, LXX.

Um mundo de percepção *interior* começa, então, a se abrir, distinto daquele da percepção exterior. O espaço interior se revela. *A criação do mundo começa no homem*. No início é tudo escuridão: então vem a luz, e separa-se das trevas. Por essa luz, compreendemos uma forma de consciência em relação à qual a nossa consciência comum é pura escuridão. Essa luz tem sido comparada à verdade e à liberdade. A percepção interna de si mesmo, de sua invisibilidade, é o princípio da luz. Essa percepção da verdade não cabe à percepção sensorial, mas à percepção da verdade das "idéias" — através das quais, certamente, a percepção de nossos sentidos é amplamente reforçada. O caminho do autoconhecimento tem esse objetivo em vista, pois a ninguém é possível conhecer-se voltado para dentro [...]. Esse esforço marca o princípio do desenvolvimento interior do homem, sobre o qual escreveram de muitas maneiras diferentes (ainda que sempre da mesma maneira) ao longo dessa partícula do tempo cuja literatura nos pertence, e que consideramos toda a história do mundo.[12]

Observaremos mais de perto o processo de "voltar-se para dentro" mais tarde. Por ora, precisamos apenas reconhecer que os dados sensíveis, sozinhos, não produzem entendimento ou conhecimento de nenhum tipo. *Idéias* é que geram entendimento e conhecimento, e o mundo das idéias jaz dentro de nós. A verdade das idéias não pode ser vista através dos sentidos, mas apenas através daquele instrumento a que nos referimos como "o olho do coração", que, de maneira misteriosa, tem o poder de reconhecer a verdade quando a defronta. Se descrevermos o resultado dessa força como iluminação, e os resultados dos sentidos como experiência, poderemos dizer que

> experiência, e não iluminação, fala-nos sobre a existência, a aparência e as mudanças de objetos sensíveis como pedras, plantas, animais, pessoas; a iluminação, e não a experiência, fala-nos sobre o significado desses objetos, o que poderiam ser e o que talvez devessem ser.

Nossos sentidos físicos, ao produzir experiência, não nos põem em contato com os graus mais altos de sentido e com os mais elevados níveis de ser existentes no mundo ao nosso redor: eles não servem a

---

12 Maurice Nicoll, *Living Time*. Londres, 1953, cap. 10.

esse propósito, designados que são apenas para registrar as diferenças exteriores das várias coisas que existem, e não os seus significados internos.

Há uma anedota de dois monges fumantes inveterados que tentavam decidir entre si se deveria ser permitido fumar durante as orações. Como não conseguiam chegar a uma conclusão, resolveram perguntar a seus respectivos superiores. Um deles teve problemas com seu abade, o outro recebeu um tapinha encorajador nas costas. Quando se encontraram novamente, o primeiro, com leve suspeita, perguntou ao segundo: "Mas o que você perguntou, afinal?". A resposta foi: "Perguntei se era permitido rezar enquanto fumamos". Se nosso sentido interior pode ver a diferença profunda entre "rezar enquanto fuma" e "fumar enquanto reza", para os nossos sentidos externos não há qualquer diferença.

Os graus mais elevados de significação e níveis do ser não podem ser reconhecidos sem a fé e o auxílio das habilidades do homem interior. Quando essas habilidades elevadas não são trazidas à ação — seja porque são escassas, seja porque a falta de fé as inutiliza — há uma escassez de *adaequatio* da parte do observador, que resulta na impossibilidade de que qualquer coisa mais elevada lhe seja conhecida.

CAPÍTULO 5

Adaequatio II

I

A grande verdade da *adaequatio* afirma que nada pode ser perscrutado sem um órgão apropriado à percepção, e nada pode ser compreendido sem um órgão apropriado à compreensão. Para o conhecimento no nível mineral, as ferramentas mais básicas do homem, como mencionei anteriormente, são os seus cinco sentidos, reforçados e expandidos por uma infinidade de outros engenhosos aparatos. Eles registram o mundo visível, mas não conseguem registrar a "interioridade" das coisas e forças invisíveis da vida, consciência e autoconsciência. Quem conseguiria ver, ouvir, tocar, provar ou sentir o cheiro da vida enquanto tal? Ela não tem forma nem cor, nenhum som específico, textura, gosto, cheiro. Ainda assim, para que sejamos capazes de reconhecer a "vida", é preciso que tenhamos para isso um órgão de percepção, um órgão mais interno — o que quer dizer mais elevado — que os sentidos. Veremos depois que esse órgão é idêntico à própria vida dentro de nós, aos processos vitais inconscientes e às sensações de nosso corpo, centrados principalmente no plexo solar. De forma semelhante, reconhecemos a "consciência" diretamente a partir de nossa consciência, centrada principalmente na cabeça, e identificamos a "autoconsciência" através da nossa própria autoconsciência, que está, em certo sentido simbólico e comprovado pela experiência física, na região do coração, o mais interior e por isso mais "elevado" núcleo do ser humano. (Muitas pessoas estão tão pouco conscientes de seu poder de autoconsciência que são incapazes de reconhecê-lo em outros seres humanos e, por isso, consideram-nos meros "animais mais evoluídos").

"Quais são as ferramentas necessárias para que o homem conheça o mundo à sua volta?" — a resposta a essa pergunta é, portanto: "Tudo o que ele tem — seu corpo, sua mente e seu espírito autoconsciente".

Desde Descartes, tendemos a crer que tomamos conhecimento, até mesmo de nossa própria existência, apenas através de nosso pensamento "com a cabeça": *cogito ergo sum* — penso, por isso sei que existo. Porém, qualquer artesão sabe que seu poder de conhecer não consiste apenas em sua atividade mental, mas também na inteligência de seu corpo: as pontas de seus dedos sabem coisas das quais seu pensamento nem desconfia, assim como disse Pascal (1623–1662) que "o coração tem razões que a própria razão desconhece". Pode soar como um grande engano dizer que o homem tem muitas ferramentas de conhecimento quando, na verdade, todo ele é um instrumento. Se ele se convence de que as únicas "informações" que valem a pena adquirir são as que chegam através dos cinco sentidos, e que a "unidade processadora de informações" chamada cérebro está ali apenas para lidar com elas, ele restringe o conhecimento àquele nível de ser para o qual esses instrumentos são *adequados* — o que, nesse caso em específico, significa o nível da matéria inanimada.

Foi Sir Arthur Eddington quem disse: "Idealmente, todo o nosso conhecimento do universo poderia ser alcançado através de percepções visuais, apenas — na verdade, da mais simples forma de percepção visual, sem cores e não-estereoscópica".[1] Se isso é verdade (como bem pode ser), se a imagem científica do universo é resultado do uso exclusivo do sentido da visão, restrito ao uso de "um único olho daltônico", não podemos esperar que essa imagem nos apresente algo mais que um mecanismo abstrato, sem sentido e inóspito. A grande verdade da *adaequatio* nos ensina que a restrição no uso dos instrumentos de conhecimento tem o efeito inevitável de estreitar e empobrecer a realidade. E isso coloca uma questão mais importante. É claro que ninguém deseja obter esse efeito; como, então, pode-se explicar que tamanha estreiteza tenha nos dominado?

Para responder a essa questão, devemos recorrer uma vez mais ao pai do desenvolvimento moderno, Descartes. A ele não faltava autoconfiança. "Os princípios verdadeiros", ele diz,

> através dos quais podemos atingir o mais alto grau de sabedoria, que constitui o bem supremo da vida humana, são estes que coloquei neste livro [...]. O homem teve muitas opiniões até agora; ele nunca teve o *conhecimento exato* de nada [...]. Mas agora ele faz jus à humanidade, torna-se mestre de si mesmo e capaz de ajustar tudo ao nível da razão.

Assim Descartes anuncia ter lançado os fundamentos da "admirável ciência", que é feita de *"idéias fáceis de apreender, as mais simples, e que podem ser representadas diretamente"*.[2] E então, no fim, o que é mais fácil de apreender, mais simples, e pode ser representado diretamente? Precisamente as "leituras de ponteiro" em uma balança quantitativa, como destaca Sir Athrur Eddington.[3]

---

1 Sir Arthur Eddington, *The Philosophy of Physical Science*. Londres, 1939.
2 René Descartes, prefácio à edição francesa do *Principia Philosophiae*, parte II.
3 Cf. Ernest Lehrs, *Man or Matter*. Londres, 1951. "De fato, a ciência física é essencialmente, como colocou o professor Eddington, uma 'ciência de ponteiros'. Observando esse fato em nosso contexto, podemos dizer que todos os instrumentos de ponteiro que o homem desenvolveu desde o início da ciência têm como modelo o próprio homem, restrito a uma observação daltônica e não-estereoscópica. Tudo o que lhe cabe nessas condições é focar pontos no espaço e registrar suas mudanças de

O sentido da visão, restrito ao uso de um olho daltônico, sendo o mais baixo, mais externo e mais superficial (isto é, que se limita à superfície) dos instrumentos humanos de conhecimento, está igualmente presente nas pessoas saudáveis, assim como a capacidade de contar. Não é preciso dizer que, para *entender* o significado desses dados, é necessário algumas das mais elevadas, e por isso mesmo raras, habilidades mentais; mas não é esse o ponto. A questão é que, uma vez que a teoria tenha sido desenvolvida — talvez por uma mente genial —, qualquer pessoa que faça o esforço necessário pode "verificá-la". O conhecimento obtido na "leitura dos ponteiros" é, assim, conhecimento público, disponível a qualquer um: preciso; inquestionável; de fácil confirmação; de fácil comunicação; e, sobretudo, *virtualmente imaculado de qualquer subjetividade do observador*.

Eu disse antes que, muitas vezes, é extremamente difícil desvendar fatos se a mente do observador é desprovida de quaisquer pensamentos, ajustes ou adaptações. Mas o que pode a mente acrescentar às leituras dos ponteiros feitas por um olho daltônico? O que se pode somar à contagem? Restringindo-nos a esse modo de observação, também podemos eliminar a subjetividade e alcançar a objetividade. Uma restrição, contudo, implica a outra. Alcançamos a objetividade, mas então falhamos em alcançar o conhecimento integral do objeto: apenas os aspectos mais inferiores e mais superficiais do objeto são acessíveis a esses instrumentos que empregamos — tudo o mais que faz do objeto humanamente interessante, cheio de sentido e significativo nos escapa. Não surpreende que a visão do mundo que resulta dessa metodologia de observação seja a "desolação abominável", uma terra devastada em que o homem é um estranho acidente cósmico que não significa nada.

Descartes escreveu:

> Apenas os matemáticos têm sido capazes de encontrar demonstrações [...]. Não tenho dúvidas de que devo começar com as mesmas coisas que eles consideraram [...]. A longa cadeia da razão, perfeita

---

posição. Com efeito, o observador científico perfeito é ele mesmo um instrumento de ponteiro" (pp. 132–133).

e simples — que os geômetras se acostumaram a dispor em vista de chegarem a suas mais difíceis conclusões —, deu-me razões para crer que todas as coisas que se submetem ao conhecimento humano acontecem da mesma maneira, e que [...] nada pode haver de tão distante que não possa ser alcançado, ou tão oculto que não possa ser descoberto.[4]

É óbvio que um modelo matemático do mundo — modelo com o qual sonha Descartes — pode dar conta apenas de fatores que podem ser expressos como quantidades inter-relacionadas. É igualmente claro que (já que a manifestação da quantidade pura não é possível) o fator quantitativo tem o peso preponderante apenas no nível mais inferior do ser. Conforme ascendemos na cadeia do ser, a importância da quantidade diminui ao passo que a da qualidade aumenta, e o preço do modelo matemático é a perda do valor qualitativo, que é o que mais importa.

A mudança de interesse do homem ocidental "do mais tênue conhecimento das mais elevadas coisas" (Tomás de Aquino) para o conhecimento preciso e matemático das coisas inferiores — "não há nada no mundo cujo conhecimento seja mais desejável e mais útil" (Christiaan Huygens, 1629–1695) — estabelece uma mudança do que podemos chamar de "ciência do conhecimento" para "ciência da manipulação". O propósito daquela era o esclarecimento e a libertação do homem; o propósito desta é o poder: "conhecimento é poder", disse Francis Bacon (1561–1626), e Descartes promete aos homens tornarem-se "senhores e possuidores da natureza". Em seu desenvolvimento último, a "ciência da manipulação" tende quase inevitavelmente a avançar da manipulação da ciência à manipulação das pessoas.

A "ciência do conhecimento" tem sido com freqüência chamada de "sabedoria", ao passo que a palavra "ciência" permanece reservada ao que chamo de "ciência da manipulação". Santo Agostinho, e muitos outros, fizeram essa mesma distinção, e Étienne Gilson o parafraseia da seguinte maneira:

---

4 René Descartes, prefácio à edição francesa do *Principia Philosophiae*, parte II.

A verdadeira diferença que separa uma da outra deriva da natureza de seus objetos. O objeto da sabedoria é tal que, em razão de sua inteligibilidade, não pode gerar nenhum mal a partir de si; o objeto da ciência permanece em constante perigo de cair nas garras da cupidez, devido à sua materialidade. Por isso a dupla designação que podemos dar à ciência, conforme seja subserviente ao apetite, tendo-se sempre a si mesma como seu próprio fim, ou subserviente à sabedoria, voltada sempre para o bem supremo.[5]

Essas questões são de crucial importância. Quando a "ciência da manipulação" está subordinada à sabedoria, ou seja, à "ciência do conhecimento", é uma ferramenta valiosa, e não pode causar qualquer dano. Porém, ela não pode estar subordinada à sabedoria quando esta desaparece, se as pessoas deixam de se interessar por sua busca. Essa é a história do Ocidente a partir de Descartes. A velha ciência — a "sabedoria" ou a "ciência do conhecimento" — era primariamente dirigida "ao bem supremo", ou seja, ao Verdadeiro, ao Bom e ao Belo, cujo conhecimento traria a felicidade e a salvação. A nova ciência está voltada principalmente ao poder material, tendência que, entrementes, desenvolveu-se a tal ponto que o aumento do poder econômico e político é hoje considerado o primeiro propósito e principal justificativa para investimentos em trabalhos científicos. A antiga ciência observava a natureza como obra de Deus, e mãe da humanidade; a nova ciência tende a observá-la como um obstáculo a ser vencido ou uma mina a ser explorada.

A maior e mais influente diferença, contudo, tem a ver com a postura da ciência em relação ao homem. A "ciência do conhecimento" via o homem como feito à imagem de Deus, coroando a glória da criação, e por isso "responsável" pelo mundo, porque *noblesse oblige*. A "ciência da manipulação", por sua vez, vê o homem como nada mais que um produto acidental da evolução, um animal superior, um animal social e um objeto de estudo pelos mesmos métodos que estudam outros fenômenos deste mundo — "objetivamente". A sabedoria é um tipo de conhecimento que pode ser usado somente se forem colocados em atividade os mais elevados e nobres poderes da

---

5 Étienne Gilson, *The Christian Philosophy of Saint Augustine*. Londres, 1961.

mente; a "ciência da manipulação", ao contrário, é um tipo de conhecimento que pode ser usado se forem postas em ação as capacidades comuns a todos — exceto aos que têm severas deficiências —, principalmente a leitura de ponteiros e cálculos, sem que haja nenhuma necessidade de saber *por que* uma fórmula funciona: saber que ela *funciona* é suficiente para propósitos práticos e de controle. Esse tipo de conhecimento é público, ou seja, pode ser descrito em termos de validade geral; assim, quando descritos corretamente, todos o podem reconhecer. A acessibilidade pública e "democrática" desse tipo de conhecimento não pode estar condicionada ao conhecimento dos níveis mais elevados do ser, simplesmente porque estes não estão representados em termos aos quais todos estão *adequados*. Argumenta-se que apenas tal conhecimento pode ser considerado "científico" e "objetivo", pois está disponível para verificação ou falsificação públicas, por qualquer um que se dê ao trabalho; e todo o resto é descartado como "não-científico" ou "subjetivo". O uso dos termos dessa maneira é um grave erro, pois todo conhecimento é "subjetivo", visto que não pode existir de outra maneira senão na mente de um sujeito humano, e a distinção entre conhecimento "científico" e "não-científico" é uma *petitio principii*, sendo a única questão válida sobre o conhecimento a de sua veracidade.

A eliminação progressiva da "ciência do conhecimento", ou "sabedoria", da civilização ocidental faz do veloz e apressado acúmulo de "ciência da manipulação" uma terrível ameaça. Como afirmei em outro contexto, "já somos espertos demais para poder viver sem a sabedoria", e novos desdobramentos de nossa espertza não podem trazer quaisquer benefícios. O avanço constante da concentração do interesse humano na "ciência da manipulação" tem pelo menos três conseqüências muito sérias. Primeiro, a ausência de estudos acerca de questões "não-científicas" como "qual o sentido e o propósito da existência?"; "o que é o bem, o que é o mal?"; "quais são os direitos e deveres absolutos do homem?"; a civilização irá, necessária e inescapavelmente, naufragar cada vez mais na angústia, desespero e ausência de liberdade. As pessoas que a compõem pouco a pouco perderão saúde e felicidade, não importa quão alta seja a qualidade de vida ou quão bem-sucedido seja o "serviço de saúde" no intuito de prolongar a existência. Basicamente, a questão é que "nem só de pão vive o homem".[6] Em segundo lugar, a restrição sistemática dos esforços científicos aos aspectos mais externos e materiais do universo faz o mundo parecer tão vazio e sem sentido que mesmo as pessoas que vêem o valor e a necessidade de uma "ciência do conhecimento" não conseguem escapar do poder hipnótico daquela suposta ciência que lhes é apresentada, abandonando a coragem e a inclinação para estudar a "sabedoria tradicional da humanidade" e tirar dela seus benefícios. Já que, por conta dessa restrição sistemática e da negligência dos níveis mais elevados, as descobertas científicas não trazem nenhuma evidência de tais níveis mais elevados, o processo se retroalimenta: a fé, em vez de ser considerada um guia, que conduz o intelecto na compreensão dos níveis superiores, é vista como uma oposição e rejeição ao intelecto e, conseqüentemente, é ela mesma rejeitada. Assim, todos os caminhos para a recuperação estão fechados. Terceiro, as mais elevadas capacidades do homem, por não serem postas em ação para gerar o conhecimento da sabedoria, atrofiam e podem desaparecer completamente. O resultado disso é que todos os problemas que a sociedade ou os indivíduos são chamados a enfrentar tornam-se insolúveis. Os esforços tornam-se cada vez mais desesperados, enquanto os problemas não-resolvidos e sem solução aparente se acumulam. Embora a riqueza do homem esteja ainda se acumulando, sua qualidade humana declina.

II

Idealmente, a estrutura do conhecimento humano estaria de acordo com a estrutura da realidade. No nível mais elevado estaria o "conhecimento para a sabedoria" em sua forma mais pura; no mais baixo, estaria o "conhecimento para a manipulação". É preciso compreender para decidir o que fazer; o "conhecimento para a manipulação" é necessário para a atuação efetiva no mundo material.

Para ações bem-sucedidas é preciso que saibamos quais serão os resultados de seqüências de ação alternativas, de modo a nos tor-

6 Mt 4, 4 — NE.

narmos capazes de escolher a direção mais apropriada a nossos propósitos. Nesse nível, portanto, é correto dizer que conhecimento é previsão e controle. A busca da ciência baseia-se em fazer avaliações e formular receitas de ação. Cada receita é uma sentença condicional, do tipo "se você deseja obter isto e aquilo, deve cumprir tais tarefas". A sentença deve ser o mais concisa possível, sem quaisquer idéias ou conceitos que não sejam estritamente necessários ("navalha de Occam"), e as instruções devem ser exatas, deixando o mínimo de espaço ao juízo do executor. O teste de uma receita é puramente pragmático — a prova do pudim é a degustação. Os aperfeiçoamentos desse tipo de ciência são puramente práticos — são objetivos, ou seja, não dependem do caráter do executor; são mensuráveis, registráveis, passíveis de repetição. Tal conhecimento é "público" no sentido de que pode ser utilizado até mesmo por homens maus para propósitos nefastos, dando poder a qualquer um que consiga apreendê-lo. (Não surpreendem, portanto, as inúmeras tentativas de manter secretas algumas partes desse conhecimento "público"!).

Nos níveis mais elevados, as noções de previsão e controle tornam-se cada vez mais censuráveis e até mesmo absurdas. O teólogo que se esforça por compreender os níveis do ser além do humano não pensa um momento sequer em predições, controle ou manipulação. Tudo o que ele procura é o entendimento. Ele ficaria chocado com predições. Qualquer coisa previsível o é apenas graças a sua "natureza fixa", e, quanto mais alto o nível do ser, menor é a sua rigidez e maior a maleabilidade da natureza. "A Deus tudo é possível" (Mt 19, 26), mas a liberdade de ação de um átomo de hidrogênio é muitíssimo limitada. As ciências da matéria inanimada — física, química, astronomia — podem, então, alcançar virtualmente uma perfeita capacidade de predição; podem, de fato, completar-se e concluir-se, definitivamente, como atesta o caso da mecânica.

Seres humanos são altamente previsíveis como sistemas físico-químicos, menos previsíveis como corpos vivos, ainda menos como seres conscientes e absolutamente nada previsíveis como indivíduos autoconscientes. A razão dessa imprevisibilidade não está na falta de *adaequatio* da parte do observador, mas na natureza da liberdade. Em relação à liberdade, o "conhecimento para manipulação" é impossível;

mas o "conhecimento para a compreensão" é indispensável. O desaparecimento quase total deste último na civilização ocidental deve-se à sistemática negação da sabedoria tradicional, da qual o Ocidente é tão farto quanto qualquer outra parcela da humanidade. O resultado do desenvolvimento desigual dos últimos três séculos é que o homem ocidental ficou rico em meios, mas pobre em fins. A hierarquia de seu conhecimento foi abolida; sua vontade está paralisada porque ele perdeu todas as bases sobre as quais construir sua cadeia de valores. Quais são seus valores mais elevados?

Os mais altos valores de um homem são alcançados quando ele declara que algo é um bem por si mesmo, sem exigir nenhuma justificativa nos termos de nenhum bem maior. A sociedade moderna se orgulha de seu "pluralismo", o que significa que um grande número de coisas são admitidas como "bens em si", como fins, e não meios para um fim. Estão todas em igual posição, todas consideradas prioridades. Se algo que não exige explicações pode ser chamado de "absoluto", o mundo moderno, que alega ser tudo relativo, na verdade venera um vasto número de "absolutos". Seria impossível compilar todos em uma lista, e não tentaremos fazê-lo aqui. Não só o poder e a riqueza são considerados bens em si — contanto que sejam meus, e não de outra pessoa —, mas também o conhecimento por si mesmo, velocidade de movimento, tamanho de mercado, agilidade nas mudanças, quantidade de educação, número de hospitais, etc. Na verdade, nenhuma dessas vacas sagradas é um fim genuíno: são todas meios exibindo-se como fins. "No Inferno do mundo do saber", comenta Étienne Gilson,

> há uma punição especial para esse tipo de pecado; é uma recaída na mitologia [...]. Um mundo que perdeu o Deus cristão nada pode além de se parecer com um mundo que ainda não o encontrou. Assim como o mundo de Tales e de Platão, nosso mundo moderno está "cheio de deuses". Há a Evolução cega, a perspicaz Ortogênese, o benevolente Progresso, e outros, que se recomenda não nomear. Por que magoar sem necessidade os sentimentos dos homens que, atualmente, lhes prestam culto? Isso é importante para que percebamos que a humanidade está destinada a viver cada vez mais sob o encanto de uma nova mitologia científica, social e política, a menos

que exorcizemos firmemente essas noções nebulosas cuja influência na vida moderna tem se tornado apavorante [...]. Pois, quando os deuses lutam entre si, os homens devem morrer.⁷

Quando há tantos deuses, competindo entre si pela primazia, sem que haja nenhum deus supremo, nenhum valor ou bem máximo em cujos termos tudo o mais deva se justificar, cabe à sociedade apenas o caos. O mundo moderno está cheio de pessoas as quais Gilson descreve como "pseudo-agnósticos que [...] misturam conhecimento científico e generosidade social com a completa falta de cultura filosófica",⁸ que se valem cruelmente do prestígio da "ciência da manipulação" para desencorajar as pessoas a tentar restaurar a totalidade ao edifício do conhecimento humano através do desenvolvimento — do redesenvolvimento — da "ciência do conhecimento". É o medo que as motiva? Abraham Maslow sugere que a busca da ciência é muitas vezes uma defesa. "Ela pode ser primeiramente uma filosofia protetora, um sistema de segurança, uma maneira complicada de evitar ansiedade e perturbações. Pode ser, num exemplo extremo, uma maneira de se proteger da vida, uma espécie de autoclausura".⁹ Seja como for, e aqui não é nossa tarefa ou propósito estudar a psicologia dos cientistas, é inegável que existe um desejo premente de escapar de qualquer noção tradicional de deveres, responsabilidades e obrigações humanos cuja negligência possa ser pecaminosa. A despeito do caos do mundo moderno e de seu sofrimento, dificilmente se encontrará um conceito mais inaceitável do que a idéia de pecado. O que seria o pecado, afinal? A tradição diz que significa "errar o alvo", como no arco e flecha; errar o propósito genuíno da vida humana na Terra, uma vida que fornece possibilidades únicas de desenvolvimento, uma grande oportunidade e privilégio, dizem os budistas, "difícil de obter". Se é verdadeiro ou não o que diz a tradição, não o pode decidir nenhuma "ciência da manipulação": isso só pode ser atestado pelas mais altas capacidades do homem, *adequadas* à criação

---

7 Étienne Gilson, *The Unity of Philosophical Experience*. Londres, 1938.
8 Ibid.
9 Abraham Maslow, *The Psychology of Science*. Nova York, 1966, cap. 4.

de uma "ciência do conhecimento". Diante da possibilidade de negação sistemática da última, as faculdades mais elevadas nunca serão exercitadas; elas atrofiam, e então desaparece a possibilidade de primeiro compreender e, depois, cumprir o propósito da vida.

William James não se iludia ao pensar que, para cada um de nós, esta é sobretudo uma questão de vontade — assim como a fé é também tradicionalmente considerada uma questão de vontade.

> A questão de possuir crenças morais ou não é determinada pela nossa vontade. Seriam as nossas preferências morais verdadeiras ou falsas, ou seriam apenas fenômenos biológicos casuais, que tornam as coisas boas ou ruins *para nós*, mas indiferentes em si mesmas? Como pode o seu puro intelecto determiná-lo? Se o seu coração não *quiser* um mundo de realidade moral, sua cabeça jamais fará você acreditar em uma. O ceticismo mefistofélico, de fato, satisfará muito mais os instintos mentais do que qualquer idealismo rigoroso pode fazê-lo.[10]

O mundo moderno tende ao total ceticismo em relação a qualquer coisa que exija as capacidades mais elevadas do homem. Mas ele não é absolutamente cético em relação ao ceticismo, que quase nada exige.

---

10 William James, *The Will to Believe*. Londres, 1899.

CAPÍTULO 6

Os quatro campos do saber
CAMPO UM

A primeira referência que escolhemos para a construção de nosso guia, e mapa filosófico, é a estrutura hierárquica do mundo — os quatro níveis do ser, em que o nível mais elevado compreende os níveis abaixo de si.

O segundo ponto de referência é a estrutura similar entre os sentidos, as habilidades e os poderes cognitivos humanos — similar no sentido de "correspondente", pois não podemos experimentar nenhuma parte ou faceta do mundo a menos que tenhamos e utilizemos um órgão ou instrumento através do qual possamos receber o que nos é oferecido. Se não temos o instrumento ou o órgão requisitado, ou se falhamos ao usá-lo, não estamos *adequados* a essa parte ou faceta do mundo, e disso resulta que, para nós, ela simplesmente não existe. Essa é a grande verdade da *adaequatio*.

Decorre dessa verdade que o efeito inevitável da negação sistemática ou da restrição do uso de nossos órgãos cognitivos é tornar o mundo menos significativo, menos rico, menos interessante etc. do que ele realmente é, e o oposto é igualmente verdadeiro: o uso dos órgãos cognitivos, que, por uma ou outra razão, costumam jazer dormentes, e seus desenvolvimento sistemático e aperfeiçoamento nos possibilitam descobrir novos significados, novas riquezas, novos interesses — facetas do mundo que antes estavam inacessíveis por nós.

Vimos que, num esforço determinado por alcançar objetividade e precisão, as ciências modernas restringiram o uso dos instrumentos de cognição humanos de uma maneira um tanto extrema: de acordo com alguns intérpretes científicos, estamos condenados a observações daltônicas, não-estereoscópicas, de escalas quantitativas. Tal metodologia resulta, necessariamente, em um mundo virtualmente confinado ao nível mais baixo de manifestação, o da matéria inanimada, e tende a sugerir que os níveis mais elevados do ser, incluindo o humano, não passam de átomos dispostos em complexos arranjos. Vamos, agora, avançar um pouco mais nesse assunto. Se a metodologia corrente gera um cenário incompleto, unilateral e grosseiramente empobrecido, que métodos deveriam ser aplicados para se obter uma visão total?

Já observamos várias vezes que, para cada um de nós, a realidade se divide em duas partes: aqui estou eu; e ali está tudo o mais, o mundo, incluindo você.

Tivemos, também, a oportunidade de observar outra dualidade: há coisas visíveis e invisíveis, ou, poderíamos dizer: aparências exteriores e experiências interiores. Estas últimas tornam-se relativamente mais importantes do que as primeiras conforme avançamos na grande cadeia do ser. As experiências interiores existem, não há dúvida, porém, elas não podem ser observadas por nossos sentidos comuns.

Com esses dois pares —
"Eu" e "o mundo"
"aparências exteriores" e "experiências interiores" —
nós obtemos quatro "combinações", que podemos indicar assim:

1. Eu — interior
2. O mundo (você) — interior
3. Eu — exterior
4. O mundo (você) — exterior.

Esses são os *quatro campos do saber*, e cada um tem grande interesse e importância para nós. As quatro perguntas que nos levam a esses campos de conhecimento podem ser expostas da seguinte maneira:

1. O que está de fato acontecendo em meu mundo interior?
2. O que está acontecendo no mundo interior dos outros seres?
3. O que eu aparento aos olhos dos outros seres?
4. O que eu de fato observo no mundo à minha volta?

Para simplificar, podemos dizer:

1. = Como me sinto?
2. = Como você se sente?
3. = O que eu aparento?
4. = O que você aparenta?

(A numeração das quatro questões e, conseqüentemente, dos quatro campos do conhecimento, é aleatória).

A primeira observação a fazer acerca desses quatro campos do conhecimento é que temos acesso direto a apenas dois deles — (1) e (4); ou seja, posso saber diretamente como me sinto e posso ver diretamente o que você aparenta; porém, não posso saber como você se sente e tampouco o que aparento aos seus olhos. Como, então, obter o conhecimento dos outros dois campos — (2) e (3) — que *não são* diretamente acessíveis por nós, ou seja: como podemos saber e compreender o que se passa no interior de outros seres (campo 2) e o que somos nós externamente, como simples objetos de observação, como um ser rodeado de inúmeros outros seres (campo 3): como entrar nesses campos de conhecimento é, realmente, uma das mais interessantes — e vitais! — questões que se pode explorar.

Diz Sócrates (no *Fedro*, de Platão): "Ainda não fui capaz de conhecer-me a mim mesmo, como recomenda a inscrição de Delfos. E, disso ainda ignorante, parece-me ridículo investigar aquilo que me é alheio". Sigamos esse exemplo e comecemos com o campo do saber (1) — o que realmente se passa dentro de mim; o que me traz contentamento; o que me traz dor? O que me fortalece e o que me enfraquece? Onde posso controlar a vida e onde ela me controla? Será que tenho o controle de minha mente, de meus sentimentos, posso fazer o que quero fazer? Qual é o valor desse conhecimento interior na condução da minha vida?

Antes de entrarmos em detalhes, devemos ter consciência do fato de que a citação do *Fedro*, de Platão, pode ser equiparada a declarações similares de todas as partes do mundo e todas as épocas. Um livro inteiro poderia ser escrito com esses trechos relevantes. Limito-me, aqui, a apresentar algumas delas da coleção organizada pelo senhor Whitall N. Perry.[1]

Fílon de Alexandria (fim do século I a.C.):

> Para rezar, não [...] vinde com vossas fábulas etéreas sobre a Lua ou o Sol, ou outros objetos no céu e no universo tão distantes de nós e tão diversas em suas naturezas, até que tenhais examinado e atingido o conhecimento de vós mesmos. Depois disso, talvez possamos acreditar em vós quando vos ocupais de outros assuntos; porém, antes que vos fique bem claro quem sois, não penseis que vos tornarão um dia capazes de agir como juízes ou testemunhas confiáveis em outros assuntos.

Plotino (203-270 d.C.):

> Retira-te para dentro de ti mesmo e observa. Se não te achares belo, age como age o criador de uma escultura que deve ser bela; ele lapida aqui, aplaina ali, deixa essa linha mais suave, aquela outra mais pura, até que de seu trabalho nasça um rosto amável. Assim faz também tu: nunca deixes de cinzelar a tua escultura...

---

1 Whitall N. Perry, *A Treasury of Traditional Wisdom*. Londres, 1971.

Theologia Germanica (1350 d.C.)

> Conhecer-se totalmente é, acima de tudo, uma arte — a mais alta arte. Se te entendes bem, és melhor e mais louvável perante a Deus do que se não te conhecesses, mas compreendesse o curso dos céus e de todos os planetas e estrelas, e também a virtude de todas as ervas, e a estrutura e disposições de toda a humanidade, e a natureza de todas as feras, e, em tais assuntos, tivesse todas as habilidades de todos os que vivem nos céus e na Terra.

E o que disse Paracelso (1493?–1541), um dos mais inteligentes homens de seu tempo e notável em seu conhecimento da "virtude de todas as ervas"?

> Os homens não se conhecem a si mesmos, e por isso não compreendem as coisas de seu mundo interior. Cada ser humano possui a essência de Deus e toda a sabedoria e força do mundo (em germe) dentro de si; ele tem tanto um tipo de conhecimento quanto outro, e aquele que não encontra o que está em si não pode dizer verdadeiramente que não o possui, mas apenas que não teve êxito ao procurá-lo.

Da Índia, Swami Ramdas (1886–1963):

> "Procure interiormente — conhece a ti mesmo", essas pistas secretas e sublimes nos vêm do sopro dos Rishis através da poeira das eras.

Do Islã; Azid ibn Muhammad al-Nasafi (século XVII–XVIII d.C.):

> Quando Ali pergunta a Maomé: "O que devo fazer para não perder o meu tempo?", o profeta respondeu: "Aprende a conhecer-te a ti mesmo".

Da China, o *Tao te Ching*, de Lao-Tzu (604–531 a.C.):

> Aquele que conhece os outros é sábio;
> Aquele que conhece a si é iluminado.

Muitas das peças de Shakespeare são totalmente dedicadas ao tema do processo de obtenção do autoconhecimento, particularmente *Medida por medida*:

> Suplico-lhe, senhor, de que disposição era o duque?
> De uma disposição que, além de todos os esforços, o fazia lutar para conhecer a si mesmo.[2]

Finalmente, vejamos um escritor do século xx, P. D. Ouspensky (1878–1947), que declara sua idéia fundamental:

> [...] o homem como o conhecemos *não é um ser completo*; a natureza o desenvolve até certo ponto e então o abandona, seja para que se desenvolva depois, *por seus próprios esforços* e artifícios, ou para viver e morrer assim como nasceu, ou para degenerar-se e perder sua capacidade de desenvolvimento.
> A evolução do homem [...] significará o desenvolvimento de certas qualidades e aspectos interiores que comumente jazem rudimentares, e não podem desenvolver-se por si mesmos.[3]

O mundo moderno conhece muito pouco de tudo isso, mesmo que produza mais teorias e literatura psicológicas que qualquer época anterior. Como diz Ouspensky, "a psicologia é às vezes chamada de nova ciência. Isso está errado. Talvez a psicologia seja a ciência mais antiga que existe, e, infelizmente, em seus aspectos mais essenciais, seja a *ciência mais esquecida*".[4] Esses "aspectos mais essenciais" apresentam-se primeiramente em ensinamentos religiosos, e seu desaparecimento deve-se significativamente ao declínio das religiões nos últimos séculos.

A psicologia tradicional, que via os seres humanos como "peregrinos" e "viajantes" nesta Terra, que podiam alcançar o topo de uma

---

2 *Measure for Measure*, III, ii, 250; veja também Beryl Pogson, *In the East My Pleasure Lies: An Esoteric Interpretation of Some Plays of Shakespeare*. London, 1950, e Martin Lings, *Shakespeare in the Light of Sacred Art*. London, 1966.
3 P. D. Ouspensky, *The Psychology of Man's Possible Evolution*. Londres, 1951.
4 Ibid.

montanha de "salvação", "libertação", "iluminação", não se ocupava inicialmente com pessoas doentes que precisavam ficar "normais", mas com pessoas normais que eram capazes de se tornar — e estavam destinadas a se tornar — supranormais. Muitas das grandes tradições têm como idéia central a de um "caminho"; os ensinamentos taoístas chineses o chamam de *tao*, o caminho; os ensinamentos de Buda chamam-no de "o caminho do meio"; e o próprio Jesus Cristo declara: "Eu sou o caminho". É tarefa do peregrino empreender uma jornada em direção ao interior, a qual demanda certo grau de heroísmo e, em todo caso, a disposição ocasional para dar as costas às preocupações triviais do dia-a-dia. Como demonstra Joseph Campbell em seu maravilhoso estudo *O herói de mil faces*, os ensinamentos tradicionais, muitos dos quais estão sob a forma de mitos, não "têm como seu grande herói o homem meramente virtuoso. A virtude não é senão o prelúdio pedagógico do entendimento culminante, que ultrapassa todos os pares de opostos".[5] Apenas um instrumento totalmente limpo pode obter uma imagem totalmente clara.

Não se deve pensar que a "jornada para o interior" é só para heróis. Ela exige um comprometimento interno; e há algo de heróico em qualquer tipo de comprometimento com o desconhecido, mas esse é um heroísmo que todos carregam consigo. É óbvio que o estudo do "primeiro campo do saber" demanda a pessoa integral, pois apenas uma pessoa completa pode estar adequada à tarefa. Um observador de apenas um olho, daltônico, certamente não iria tão longe. Mas como pode a pessoa integral — particularmente as mais altas qualidades do ser humano — ser trazida à ação? Quando falávamos dos quatro níveis do ser descobrimos que a imensa superioridade do homem sobre o nível animal precisava ser reconhecida; e o "poder adicional" — z —, que explicava essa superioridade, foi identificado como intimamente conectado com a *autoconsciência*. Sem a autoconsciência, a exploração e o estudo do homem interior, ou seja, do mundo interior, é completamente impossível.

---

5 Joseph Campbell, *The Hero with a Thousand Faces*. Nova York, 1949, prólogo. [*O herói de mil faces*. Pensamento: São Paulo, 1989 — NT].

A autoconsciência, por sua vez, está intimamente relacionada com o poder da atenção, ou talvez eu deva dizer: com o poder da atenção *dirigida*. Minha atenção é freqüentemente, ou na maior parte do tempo, atraída por forças externas, escolhidas ou não por mim — sons, cores, etc. —, e também por forças internas a mim — expectativas, medos, preocupações, interesses, etc. Quando ela é assim capturada, funciono de maneira semelhante a uma máquina; não estou fazendo nada: as coisas simplesmente acontecem. A todo momento existe, entretanto, a possibilidade de tomar nas mãos a matéria e direcionar, deliberadamente, a minha atenção a algo de minha total escolha, algo que não me domine, mas que seja dominado por mim. A diferença entre a atenção dirigida e a roubada é a mesma diferença entre executar a ação e deixar as coisas tomarem o seu curso, ou entre "viver" e "ser vivido". Nenhum assunto poderia ser de maior interesse; nenhum assunto ocupa lugar mais central em todos os ensinamentos tradicionais; e nenhum assunto é mais negligenciado, mal compreendido e distorcido no pensamento do mundo moderno.

Em seu livro *Yoga*, Ernest Wood fala de um estado o qual ele chama (equivocadamente, acredito) de contemplação. Ele diz:

> Sim, às vezes "nos perdemos". Espreitamos o escritório ou a sala de estudo de alguém e saímos de mansinho, sussurrando aos nossos companheiros que "ele está perdido em pensamentos". Conheci um homem que costumava palestrar com freqüência sobre assuntos que exigem muita reflexão. Ele me disse que havia adquirido o poder de se colocar fora da mente — esquecer totalmente de si mesmo — no início de cada palestra, e visualizar mentalmente o assunto em questão como um mapa que traz uma rota a seguir, enquanto as palavras ditas fluíam em total obediência às sucessivas idéias que estavam sendo expostas. Ele me disse que tomava consciência de si mesmo uma ou duas vezes durante a palestra, e, no fim, ao sentar-se, fica surpreso ao perceber que fora ele quem dera a palestra. Mesmo assim, lembrava-se completamente de tudo.[6]

---

6 Ernest Wood, *Yoga*. Harmondsworth, 1959, cap. 4.

Essa é uma boa descrição do homem agindo como uma máquina programada, implementando um programa idealizado algum tempo atrás. *Ele*, o programador, não é mais necessário; ele pode ausentar-se mentalmente de si mesmo. Se a máquina executa um bom programa, dá uma boa palestra; se a programação é ruim, a palestra fracassa. É bastante comum para nós a idéia de executar "programas"; por exemplo, quando dirigimos um carro e conversamos com o passageiro ao mesmo tempo. Paradoxalmente, estamos dirigindo com atenção, "cuidadosamente", mas a nossa atenção real está na conversa. Será que estamos igualmente familiarizados a dirigir nossa atenção ao que queremos ser, independentemente de qualquer distração, e mantê-la ali pelo tempo que desejarmos? A verdade é que não, não estamos. Tais momentos de total liberdade e autoconsciência são sempre muito raros. A maior parte de nossas vidas é gasta com algum tipo de servidão; somos capturados por isto e aquilo, e ficamos à deriva em nosso cativeiro, apenas cumprindo programas que foram implantados em nossa máquina, não sabemos como, quando ou por quem.

O primeiro tema de estudo no que chamamos de "primeiro campo" é a *atenção*, e isso logo nos conduz ao estudo de nossa mecanicidade. O melhor auxílio que conheço a esse respeito é o livro *The Psychology of Man's Possible Evolution*, de P. D. Ouspensky.

Não é difícil verificar em si mesmo a observação de Ouspensky, de que a todo momento nos encontramos em algum dos três diferentes "estados" ou "partes de nós mesmos" — mecânica, emocional, intelectual (para usar a terminologia dele). O critério-chave para identificar essas diferentes "partes" é a qualidade de nossa atenção.

> Sem atenção, ou com a atenção errante, ficamos na parte mecânica; com a atenção atraída para o sujeito da observação ou reflexão, e mantida ali, estamos na parte emocional; com a atenção controlada e mantida no assunto pela vontade, estamos na parte intelectual.[7]

Então, para estar conscientes de onde anda a nossa atenção e o que ela está fazendo, devemos estar *despertos*, de acordo com o significado

---

7 Ouspensky, op. cit.

exato da palavra. Quando estamos agindo, pensando ou sentindo mecanicamente, como um computador programado ou outra máquina, obviamente não estamos despertos nesse sentido, e estamos fazendo, pensando ou sentindo coisas que não escolhemos voluntariamente fazer, pensar ou sentir. Podemos dizer, posteriormente: "Não foi isso que quis dizer" ou "não sei como isso aconteceu comigo". Podemos pretender, planejar e mesmo prometer solenemente fazer todo tipo de coisa, mas se estamos a qualquer momento sujeitos a cair em ações que "não quisemos fazer" ou que apenas "caíram sobre nós", qual é o valor das nossas intenções? Quando não estamos despertos em nossa atenção, certamente não estamos autoconscientes e, sendo assim, não somos completamente humanos; estamos propensos a reagir descontroladamente aos nossos incontroláveis impulsos internos ou aos estímulos externos, assim como os animais.

A humanidade não precisou esperar pela chegada da psicologia moderna para obter ensinamentos a respeito desses assuntos vitais. A sabedoria tradicional, incluindo todas as grandes religiões, como mencionado antes, sempre descreveram a si mesmas como "o caminho" e colocaram certo tipo de despertar como objetivo. O budismo é chamado de "a doutrina do despertar". Em todo o Novo Testamento as pessoas são admoestadas a se manterem despertas, a vigiar, e a não adormecer. No começo da *Divina Comédia*, Dante encontra-se numa selva escura, sem saber como havia chegado ali: "Tanto o sono os sentidos me tomara, quando hei o bom caminho abandonado". Não é o sono físico o inimigo do homem; mas a deriva, o vagar, o movimento desastrado de sua atenção que o torna incompetente, miserável e menos-que-humano. Sem a autoconsciência, ou seja, sem a consciência consciente de si mesma, o homem apenas imagina que está no controle de si mesmo, que sua vontade é livre e que ele é capaz de cumprir as suas intenções. Na verdade, como Ouspensky colocaria, ele não tem mais liberdade para conceber intenções e agir de acordo com elas do que uma máquina. Apenas em poucos instantes de autoconsciência ele tem tal liberdade, e sua tarefa mais importante é, de uma maneira ou de outra, manter essa autoconsciência contínua e sob controle.

Para esse propósito, diferentes religiões desenvolveram diferentes caminhos. Aqui, veremos alguns exemplos. O "centro da meditação budista" é *satipatthana*, ou "atenção plena". Um dos monges budistas mais importantes da atualidade, Nyanaponika Thera, começa seu livro sobre esse tema com as seguintes palavras:

> Este livro é baseado na profunda convicção de que o desenvolvimento sistemático da atenção plena, como ensina o Buda em seu *Discurso sobre Satipatthana*, ainda oferece o mais simples e direto, o mais completo e eficaz método para treinar a mente para seus problemas e tarefas diárias, assim como para seu mais elevado propósito: a libertação inabalável da mente da ganância, do ódio e da ilusão [...].
> Esse caminho ancestral da atenção é tão viável atualmente como era há 2.500 anos. É utilizável nas terras do Ocidente e do Oriente; no meio da turbulência da vida e na paz dos aposentos do monge.[8]

A essência do desenvolvimento da atenção plena é o aumento da intensidade e da qualidade da atenção, e a essência da *qualidade* da atenção é a sua *plenitude*.

> A atenção plena é a consciência clara e franca em relação ao que nos acontece *dentro* de nós mesmos nos contínuos momentos de percepção. É chamada "plena" pois está inteiramente voltada aos fatos de uma percepção tal como se apresentam [...]. A atenção se dedica plenamente a registrar os fatos observados, sem reagir a eles com ações, discursos ou comentários mentais, que podem ser auto-referentes (aprovação, reprovação, etc.), julgamento ou reflexão. Se, ao longo do tempo, curto ou extenso, dedicado à prática da atenção plena, surgem tais interferências na mente do observador, eles mesmos devem se tornar objetos da atenção plena, e não serem repudiados ou analisados, mas apenas dispensados, depois de uma breve observação mental acerca deles.[9]

Esses indícios devem bastar para identificar a natureza essencial do método: a atenção plena só é alcançável através do silenciamento, ou, se ele não for possível, da tranquila audição da "voz interior".

---

8 Nyanaponika Thera, *The Heart of Buddhist Meditation, a Handbook of Mental Training Based on the Buddha's Way of Mindfulness*. Londres, 1962, introdução.
9 Ibid.

Ela se mantém acima do pensamento, do raciocínio, da argumentação, das opiniões — atividades essenciais e auxiliares que classificam, conectam e verbalizam as observações advindas da atenção plena. "Ao empregar os métodos da atenção plena", diz Nyanaponika, a mente "volta ao estado seminal das coisas [...]. A observação retrocede à primeira fase do processo de percepção quando a mente está num estado puramente receptivo, e quando a atenção está restrita à simples observação do objeto".[10]

Nas palavras do Buda, "no que é visto, deve haver apenas o que se vê; no que é ouvido, deve haver apenas o que se ouve; no que é sentido (como odores, sabores ou toques), deve haver apenas o que se sente; no que se pensa, deve haver apenas o que se pensa".[11]

Em suma, o caminho do Buda para a atenção plena foi traçado para garantir que a razão do homem seja abastecida de material genuíno e inalterado antes que esta comece a raciocinar. O que tende a adulterar esse material? Obviamente, o egoísmo do homem, o apego a seus próprios interesses, desejos ou, para falar como os budistas, sua ganância, seu ódio, suas ilusões.

A religião é a reconexão (*re-legio*) do homem com a realidade, seja essa realidade chamada de Deus, Verdade, Allah, Sat-Chit-Ananda ou Nirvana. Os métodos que fazem parte da tradição cristã têm, é claro, diferentes nomes, mas chegam ao mesmo ponto. Nada pode ser alcançado ou obtido enquanto o pequenino e egocêntrico "eu" se coloca no caminho — na verdade, pode haver diversos pequeninos, egocêntricos e desajeitados "eus" — e, para afastar-se do "eu", o homem deve olhar para "Deus" — "desprovido de intenções", como um clássico inglês, *A nuvem do não-saber*, assim o expressa: "A intenção desinteressada em relação a Deus, e a Ele apenas, é totalmente suficiente". O maior inimigo é a intervenção do *pensamento*.

> Se algum pensamento surgir e se colocar entre você e a escuridão, perguntando o que está procurando, responda que é Deus quem você quer: "É Ele que desejo, Ele a quem busco, nada além d'Ele"

---

10 Ibid.
11 "The Instruction to Bahiya", citado por Nyanaponika Thera, op. cit.

[...]. É possível que ele [o pensamento] traga à sua mente muitos pensamentos magníficos e amáveis de sua bondade [...]. Ele continuará tagarelando mais e mais [...] e sua mente irá para bem longe, de volta a seu antigo antro. Antes mesmo de saber onde está, você estará incrivelmente fragmentado! Por quê? Simplesmente porque você se permitiu dar ouvidos àquele pensamento e respondeu a ele, aceitou-o, deixou que ele o conduzisse.[12]

Não é questão de ter bons ou maus pensamentos. A Realidade, a Verdade, Deus ou o Nirvana não podem ser encontrados através dos pensamentos, pois estes pertencem ao nível do ser equivalente à consciência, e não ao nível mais elevado da autoconsciência. Neste último, o pensamento tem seu justo espaço, mas um espaço que tem sua utilidade determinada. Os pensamentos não nos podem guiar para o "despertar", pois o principal objetivo é despertar do pensamento para a "visão". O pensamento pode dar origem a inúmeras perguntas; essas perguntas podem até ser interessantes, mas as suas respostas em nada contribuem para o nosso despertar. Na tradição budista, eles são chamados de "pensamentos vãos":

> Este é o beco sem saída das opiniões, o abismo das opiniões, a confusão de opiniões, o emaranhado das opiniões, a trama das opiniões [...]. A opinião, ó discípulos, é uma doença; a opinião é um tumor; a opinião é uma chaga. Aquele que ultrapassou todas as opiniões, ó discípulos, é chamado de santo, aquele que sabe.[13]

O que é yoga? De acordo com o maior de todos os professores de yoga, Patanjali (cerca de 300 a.C.), "yoga é o controle das idéias na mente". As nossas circunstâncias não são apenas os acontecimentos da vida tal como os deparamos, mas também, e mais ainda, as idéias que temos em nossa mente. É impossível obter qualquer controle sobre as circunstâncias se não houver, primeiro, o controle dos pensamentos, e o mais importante — além de mais universal — ensinamento de todas as religiões é que o *vipassana* (para utilizar o termo budista),

---

12 *The Cloud of Unknowing*. Harmondsworth, 1961.
13 Majjhima Nikaya, CXL. Cf. J. Evola, *The Doctrine of Awakening*. Londres, 1951, cap. 4.

a pureza da visão, pode ser obtida apenas por aquele que consegue colocar a "função pensar" no seu devido lugar, de maneira que se mantenha em silêncio quando deve ficar em silêncio e entre em ação apenas quando lhe é atribuída uma tarefa pontual e específica. Eis outro trecho de *A nuvem do não-saber*:

> É por essa razão que o exercício vigoroso da imaginação, sempre tão ágil [...], deve ser dominado. *A menos que você o domine, ele irá dominar você.*[14]

Enquanto o principal instrumento do método indiano é o yoga, o principal instrumento do cristianismo é a oração. Pedir ajuda a Deus, agradecê-Lo e glorificá-Lo são os propósitos legítimos da oração cristã; e, mesmo assim, a essência da oração vai além disso. O cristão é chamado a "rezar sem interrupção". Jesus "dizia-lhes também uma parábola, para mostrar que importa orar sempre e não cessar de o fazer" (Lc 18, 1). Esse mandamento tem atraído a mais solene atenção dos cristãos ao longo dos séculos. Talvez o mais famoso trecho a esse respeito esteja nos *Relatos de um peregrino russo*, uma jóia anônima da literatura mundial, impressa na Rússia em 1884.

> [...] estavam lendo a Epístola do Apóstolo aos Tessalonicenses, na passagem que diz: "Orai sem cessar". Estas palavras penetraram profundamente em meu espírito e eu me perguntei como era possível orar sem cessar quando cada um de nós tem de se ocupar de tantos trabalhos para seu próprio sustento. [...] "O que fazer?", pensava. "Onde achar alguém que possa explicar-me essas palavras?"[15]

O peregrino obtém a *Filocalia*,[16] que "contém o completo e exato conhecimento da incessante oração interior, como afirmaram os vinte e cinco Santos Padres".

---

14 *The Cloud of Unknowing*, op. cit.

15 Em *A Treasury of Russian Spirituality*. Londres, 1952 [Jean Gauvain, *Relatos de um peregrino russo*. Paulus: São Paulo, 1985 — NT].

16 Ver *Writings from the Philokalia on Prayer of the Heart*. Londres, 1951; e *Early Fathers from the Philokalia*. Londres, 1954.

Essa oração interior é também chamada de "oração do coração"; embora não seja de maneira alguma desconhecida no mundo ocidental, foi levada à perfeição principalmente pelas igrejas ortodoxas grega e russa. Sua essência é: "Permaneça diante de Deus com o pensamento no coração". Isso tudo foi explicado da seguinte maneira:

> O termo "coração" tem um significado particular na doutrina ortodoxa sobre o homem. Quando, no mundo ocidental, as pessoas falam atualmente do coração, estão se referindo normalmente às emoções e afetos. Porém, na Bíblia, bem como na maioria dos textos ascéticos da Igreja Ortodoxa, o coração tem uma conotação mais ampla. É ele o órgão fundamental da existência humana, tanto física como espiritual; é o centro da vida, o princípio determinante de todas as nossas atividades e aspirações. Assim, o coração envolve também as afeições e emoções, porém envolve muitas outras coisas: ele contém, com efeito, tudo o que encerra o que chamamos de "pessoa".[17]

Nessas circunstâncias, a pessoa diferencia-se dos outros seres pela misteriosa força da autoconsciência, e essa força, como já pudemos notar, reside no coração, onde pode, de fato, ser sentida como um tipo peculiar de calor. A oração do coração, conhecida como a oração de Jesus (que em português se diz com estas palavras: "Senhor Jesus Cristo, Filho de Deus, tem piedade de mim, pecador"), é repetida incessantemente pela mente *no coração*, o que fortifica, molda e reforma o indivíduo por inteiro. Um dos maiores mestres no assunto, São Teófano, o Recluso (1815–1894), explica:

> Para fixar o pensamento em algo através de uma oração curta, é necessário preservar a atenção e então conduzi-la ao coração: pois enquanto a mente permanece na cabeça, onde os pensamentos chocam-se entre si, não há tempo para concentrar-se em algo isolado. Porém, quando a atenção desce ao coração, atrai todas as forças da alma e do corpo para aquele ponto. Essa concentração de toda a vida humana num só lugar reflete-se imediatamente no coração como uma sensação especial, que é o início do futuro calor. Essa sensação, difusa no início, torna-se gradualmente mais forte, mais

---

[17] Hieromonk Kallistos (Timothy Ware), em sua introdução a *The Art of Prayer* (ver nota seguinte).

vigorosa, mais profunda. Inicialmente apenas tépida, torna-se uma sensação quente e atrai toda a atenção para si. E então acontece que, enquanto nos estágios iniciais a atenção é mantida no coração pela força da vontade, a seu devido tempo, e por sua própria força, ela faz nascer um calor no coração. Esse calor, por sua vez, mantém a atenção sem qualquer esforço especial. Assim, os dois continuam se apoiando mutuamente e devem permanecer inseparáveis; pois a dispersão da atenção esfria o calor, e a diminuição do calor enfraquece a atenção.[18]

A afirmação de que a repetição contínua, silenciosa, de uma seqüência curta de palavras conduz a resultados espirituais, manifestos, por assim dizer, em sensações *físicas* do calor espiritual, é tão estranha à mentalidade moderna que tende a ser dispensada como uma pilhéria. Nosso pragmatismo e respeito pelos fatos, algo de que somos tão orgulhosos, não nos induz facilmente a experimentá-lo. Por que não? Porque tentá-lo nos conduz à conquista de certos entendimentos, certos tipos de conhecimento, os quais, uma vez que nos abrimos a eles, não mais nos deixarão: representarão uma espécie de ultimato — ou você muda, ou perece. O mundo moderno gosta de ter os seus assuntos para zombar; mas os resultados de uma aproximação direta aos estudos e ao desenvolvimento da autoconsciência não devem ser motivos de zombaria.

O primeiro campo do saber, em outras palavras, é um campo-minado para qualquer um que falhe ao reconhecer que, no nível humano do ser, a *invisibilia* possui uma força infinitamente maior que a *visibilia*. Ensinar essa verdade básica é a tarefa primordial da religião, e, como a religião foi abandonada pela civilização ocidental, já não resta nada que possa proporcionar esse ensinamento. Conseqüentemente, a civilização ocidental tornou-se incapaz de lidar com os problemas reais da vida no nível humano do ser. Sua habilidade nos níveis inferiores é incrivelmente impressionante; porém, em relação às questões essencialmente humanas, é ignorante e incompetente. Sem a sabedoria e a disciplina da religião autêntica, o primeiro campo do saber é negligenciado, uma terra improdutiva repleta de ervas-daninhas, muitas delas venenosas. Algumas plantas saudáveis e úteis

---

18 *The Art of Prayer, An Orthodox Anthology*, compilada por Igumen Chariton de Valamo. Londres, 1966, cap. 3, III.

podem aparecer por ali, mas apenas acidentalmente, por assim dizer. Sem a autoconsciência (no sentido pleno do "fator z") o homem age, fala, estuda e reage mecanicamente, como uma máquina: com base nos "programas" adquiridos acidentalmente, mecanicamente, sem intenção. Ele não está ciente de que age de maneira programada; por isso não é difícil reprogramá-lo — para fazê-lo pensar e fazer coisas diferentes daquelas que ele pensava e fazia antes —; deve-se garantir apenas que a nova programação não irá fazê-lo despertar. Quando ele desperta, nada pode programá-lo: ele se programa a si mesmo.

Esse ensinamento antigo, que eu apenas traduzi para as palavras modernas, sugere que há dois elementos ou agentes envolvidos, e não um: o programador e o computador. O último funciona perfeitamente bem sem a assistência do primeiro — como uma máquina. A consciência — o "fator y" — funciona perfeitamente bem sem a presença da autoconsciência, o "fator z", como demonstram os animais superiores. Que a plenitude da "mente" humana não se explica por um elemento apenas é a afirmação universal de todas as grandes religiões, afirmação recentemente corroborada pela ciência moderna. Pouco antes de seu falecimento, aos 84 anos, o Dr. Wilder Penfield, neurologista e neurocirurgião mundialmente famoso, publicou uma *summa* de suas descobertas chamada *The Mystery of the Mind*. Ele diz que:

> Ao longo de minha carreira científica, eu, assim como outros cientistas, esforcei-me para provar que o cérebro é causa da mente. Mas talvez já tenha chegado a hora de podermos considerar proveitosamente as evidências como elas se apresentam e perguntar: *será que os mecanismos do cérebro são causa da mente*? Pode a mente ser explicada a partir do que hoje se conhece acerca do cérebro? Se a resposta é não, qual das duas hipóteses é mais razoável: que a existência humana se funda em um elemento, ou em dois?[19]

Dr. Penfield chega à conclusão de que "a mente parece agir de forma independente, assim como um programador age independentemente de seu computador, ainda que ele dependa da ação desse computador para certos propósitos". Ele continua sua explicação:

---

19 Wilder Penfield, *The Mystery of the Mind*. Princeton, 1975.

> Pois parece-me certo que será sempre impossível explicar a mente com base na ação neuronal interna ao cérebro, e, por parecer-me que a mente se desenvolve e amadurece independentemente ao longo da vida de um indivíduo como se fosse um elemento contínuo, e porque um computador (que é o cérebro) deve ser operado por um agente capaz de pensar por conta própria, sou forçado a subscrever a proposição que afirma que nossa existência deve ser explicada a partir de dois elementos fundamentais.[20]

É claro que o programador é "superior" em relação ao computador, assim como o que chamei de autoconsciência é "superior" à consciência. O estudo do primeiro campo do saber implica o exercício sistemático do fator "superior". O programador não pode ser treinado se simplesmente deixar o computador funcionar regularmente ou mais rápido. Não é necessário apenas conhecer os fatos e teorias, mas também ter compreensão ou entendimento. Não surpreende que o processo para alcançar uma compreensão seja diferente daqueles para se obter uma informação factual. Muitas pessoas são incapazes de enxergar a diferença entre informação e compreensão e, por isso, vêem os métodos de treinamento, como *satipatthana*, yoga ou a oração incessante como um tipo de superstição sem sentido. Naturalmente, essas visões não têm qualquer valor e indicam apenas uma falta de *adaequatio*. Todo esforço ordenado produz algum tipo de resultado.

> A oração de Jesus age como um lembrete constante para que o homem olhe para dentro de si *o tempo todo*, para conscientizar-se de seus pensamentos fugazes, emoções repentinas e até de seus movimentos, de modo a fazê-lo tentar controlá-los [...]. Através da análise e da observação de seu eu interior, ele irá obter cada vez mais conhecimento de sua insuficiência, o que poderá inundá-lo de desespero. [...] Essa é a dor do nascimento do espírito, e os gemidos do despertar da espiritualidade no homem [...]. Aconselha-se repetir a oração de Jesus em "silêncio". Silêncio, aqui, significa também o silêncio interior; o silêncio da mente, o seqüestro da imaginação do sempre turbulento e sempre presente fluxo de pensamentos, palavras, impressões, imagens e devaneios, que nos mantém adormecidos. Essa não é uma tarefa fácil, já que a mente funciona quase que autonomamente.[21]

---

20 Ibid.
21 *On the Prayer of Jesus: Ascetic Essays of Bishop Ignatius Brianchaninov.* Londres, 1952. Os trechos foram extraídos da Introdução de Alexander d'Agapeyeff.

Poucos filósofos ocidentais modernos deram atenção aos métodos de estudo do primeiro campo do saber. Uma exceção é W. T. Stace, que, desde 1935, por 25 anos foi professor de filosofia na Universidade de Princeton. Em seu livro *Mysticism and Philosophy* ele responde à eterna pergunta: "Que relação tem, se é que há alguma, o que chamamos de 'experiência mística' com os mais importantes problemas da filosofia?". Suas pesquisas o conduziram ao "tipo introvertido de experiência mística", e, desta maneira, aos métodos empregados por aqueles que buscam essas experiências. Talvez tenha sido infeliz a escolha do professor pelo termo "místico", que adquiriu certo significado *místico*, quando não se trata, na verdade, de nada além da exploração cuidadosa da própria vida interior. De qualquer forma, isso não diminui a relevância e a excelência de suas observações.

Em primeiro lugar, ele afirma que *não há dúvidas* de que os acontecimentos psicológicos básicos acerca dessa "experiência introvertida" são, essencialmente, "os mesmos ao redor de todo o mundo em todas as culturas, religiões, lugares e eras". O professor Stace escreve como um filósofo, e afirma não ter nenhuma experiência pessoal relativa a esses assuntos. Ele inclusive acha que são bastante estranhos. "Eles são", diz ele, "tão extraordinários e paradoxais que chegam a forçar a crença, quando, repentinamente, acontecem com alguém que não estava preparado para elas". Ele dá seqüência, então, elencando "os supostos acontecimentos tal como os místicos os apresentam, sem comentários e sem julgamentos". Embora ele declare os fatos em termos nunca usados pelos místicos, seu método de exposição é tão claro que vale a pena reproduzi-lo brevemente aqui:

> Suponha que alguém deva bloquear a passagem dos sentidos físicos de modo que nenhuma sensação chegue à consciência [...]. Não parece haver nenhuma razão *a priori* segundo a qual um homem inclinado a esse objetivo [...] deva, ao adquirir concentração e controle mental suficientes, excluir todas as sensações físicas de sua consciência.
> Imagine que, depois de livrar-se de todas as sensações, ele deva seguir adiante e expulsar da consciência todas as imagens sensoriais e, então, todos os pensamentos abstratos, raciocínios, vontades e outros dados particulares; o que então restaria à consciência? Não haveria nenhum estímulo mental além do total vazio, do vácuo, do vão.[22]

---

22 W. T. Stace, *Mysticism and Philosophy*. Londres, 1961.

É precisamente este o alvo perseguido por aqueles que desejam estudar a própria vida interior: a supressão de todos os incômodos que emanam dos sentidos ou da "função do pensamento". Stace, entretanto, chega a um complexo quebra-cabeça:

> Poder-se-ia supor *a priori* que a consciência seria então inteiramente suprimida, e que a pessoa adormeceria ou ficaria inconsciente. Porém, os místicos introvertidos — milhares deles ao redor do mundo — afirmam unanimemente que conseguiram alcançar esse total vazio de estímulos mentais, e o que acontece então é bastante diferente de uma queda na inconsciência. Pelo contrário: o que acontece é um estado de consciência *pura* — "pura" no sentido de que não é a consciência de nenhum conteúdo empírico. Não há conteúdo exceto ela mesma.[23]

Nos termos que empreguei anteriormente, poder-se-ia dizer: o programador do computador descobre que não detém nenhum dos "conteúdos" da máquina; em outras palavras, mais uma vez, o fator z — a autoconsciência — de fato integra o seu ser quando o fator y — a consciência — deixa de ocupar o centro. O professor Stace diz que "o paradoxo é que talvez seja uma experiência positiva que não tem nenhum conteúdo positivo — uma experiência que é, ao mesmo tempo, tudo e nada".[24]

Mas não há nada paradoxal no fato de uma força "superior" tomar o lugar de uma força "inferior", em uma experiência que é algo, mas não é uma *coisa*. O paradoxo existe apenas para aqueles que insistem em acreditar que não pode haver nada "mais elevado" ou "acima" de sua consciência e experiência cotidianas. Como acreditar nisso? É claro que todo mundo já teve na vida momentos mais significativos e mais plenamente reais do que os da vida cotidiana. Tais momentos são indicadores, vislumbres de potencialidades não-realizadas, clarões de autoconsciência. O professor Stace continua a sua explicação:

---

23 Ibid.
24 Ibid.

Nossa consciência comum do dia-a-dia tem objetos ou imagens, ou mesmo nossos próprios sentimentos ou pensamentos, que são percebidos introspectivamente. Suponhamos que eliminemos todos os objetos físicos e mentais. *Quando o 'eu' não está empenhado em compreender objetos, ele se torna consciente de si mesmo.* O próprio 'eu' emerge [...].
Pode-se dizer também que o místico se liberta do ego empírico sobre o qual o ego puro, normalmente oculto, vem à luz. *O ego empírico é o fluxo da consciência. O ego puro é a unidade que mantém os diversos fluxos unidos.*[25] [Os grifos são meus]

A semelhança essencial dessas visões com as do Dr. Penfield é inegável. Ambos corroboram o principal ensinamento das grandes religiões, que, em diversos idiomas e modos de expressão diferentes, impele o homem a se abrir ao "ego puro", ao "eu", ao "vazio", ao "poder divino" que habita dentro dele; a despertar, por assim dizer, do computador para o programador; para transcender da consciência para a autoconsciência. Apenas ao se libertar da escravidão dos sentidos e do pensamento ativo — ambos servos, e não senhores —, mudando o foco da atenção das coisas *visíveis* para as coisas *invisíveis* — é possível alcançar esse "despertar". "[...] Não atendendo nós às coisas que se vêem, mas sim às que se não vêem. Porque as coisas que se vêem são passageiras, e as que não se vêem são eternas" (2Cor 4, 18).

Haveria muito mais a dizer sobre a maior de todas as artes — a aquisição do autoconhecimento através do estudo do primeiro campo do saber, para seguir nossa terminologia. No entanto, será mais útil agora para nós partir para o *segundo campo do saber*, que é o conhecimento que podemos adquirir a partir da experiência *interior* de *outros* seres humanos. Uma coisa é certa: a nós parece que esse conhecimento é inacessível (conforme já foi dito). Como, então, ele é possível?

---

25 Ibid.

CAPÍTULO 7

Os quatro campos do saber
CAMPO DOIS

Quanto mais alto o nível do ser, maior é a importância da experiência interior, ou seja, da "vida interior", em comparação com a aparência externa, os atributos mensuráveis e imediatamente perceptíveis, como tamanho, peso, cor, movimento, etc.; além disso, é tanto mais provável que sejamos capazes de conhecer a "vida interior" de outros seres, pelo menos no nível humano. Acreditamos de fato poder saber algo a respeito do que se passa no interior de outro ser humano; ao menos um pouco do que se passa na vida interior dos animais; praticamente nada sobre a das plantas, e absolutamente nada sobre a das pedras e de outros seres inanimados. Quando São Paulo diz:

"Sabemos que todas as criaturas gemem e estão como que com dores de parto até agora" (Rm 8, 22), podemos vislumbrar o seu significado em relação às pessoas e animais, mas temos certa dificuldade no que toca às plantas e minerais.

Comecemos, então, pelas outras pessoas. Como podemos adquirir conhecimento acerca do que se passa dentro delas? Como disse anteriormente, vivemos num mundo de pessoas *invisíveis*; a maioria delas sequer deseja que saibamos qualquer coisa sobre a sua vida interior; dizem coisas como: "Não se aproxime, deixe-me em paz, cuide da sua vida". Mesmo quando, em certas ocasiões, alguém deseja "abrir seu coração" a outrem, descobre ser imensamente difícil fazê-lo, não sabe como se expressar e, mesmo sem o menor desejo de enganar, acaba dizendo muitas coisas que não são verdade; desesperado, tenta comunicar-se sem usar palavras — por gestos, sinais, toques corporais, gritos, soluços, e até violência.

Apesar da tentação constante a esquecê-lo, todos nós sabemos que nossas vidas são construídas ou arruinadas por nossos relacionamentos com os outros seres humanos; nem a maior riqueza, saúde, fama ou poder é capaz de compensar nossas perdas se essas relações fracassam. Ademais, todas elas dependem de nossa habilidade em compreender os outros, e da habilidade dos outros de nos compreender.

A maioria das pessoas parece acreditar que, para resolver esse problema de comunicação, basta ouvir o que o outro tem a dizer e observar os movimentos de seu corpo; em outras palavras, que implicitamente podemos confiar nos sinais *visíveis* do outro para nos transmitir um retrato correto de seus *invisíveis* pensamentos, sentimentos, intenções, etc. Ai! Não é tão simples assim. Considere as condições passo a passo, assumindo que há um desejo genuíno de uma das partes de transmitir seus pensamentos à outra parte (deixando de lado todas as possibilidades de engano).

- Primeiro, o falante deve saber, com exatidão, qual é o pensamento que ele quer comunicar;
- Segundo, ele deve encontrar formas visíveis (e audíveis) — gestos, movimentos corporais, palavras, entonação, etc.

- que, a seu ver, são capazes de "externalizar" seus pensamentos "interiores"; isso pode ser chamado de *primeira tradução*;
- Terceiro, o ouvinte deve receber, sem equívocos, esses sinais visíveis, o que significa que ele não deve apenas ouvir com atenção o que está sendo dito, sabendo o idioma utilizado, mas também que deve observar atentamente os sinais não-verbais (como gestos e entonação) que são empregados;
- Quarto, o ouvinte deve, então, de alguma maneira, integrar os numerosos símbolos que recebeu e transformá-los em pensamento, o que pode ser chamado de *segunda tradução*.

Não é difícil prever o quanto pode dar errado cada um desses quatro estágios, principalmente as duas *traduções*. Podemos, de fato, chegar à conclusão de que a comunicação fidedigna e exata é impossível. Mesmo que o falante esteja completamente ciente de todos os pensamentos que deseja transmitir, sua escolha dos símbolos — gestos, combinação de palavras, entonação — é uma questão muito pessoal; e mesmo que o ouvinte ouça e observe atentamente, como se pode ter certeza de que ele apreendeu o correto significado dos símbolos que recebeu? Essas dúvidas e perguntas são muito justificáveis. O procedimento, como foi descrito, é extremamente laborioso e incerto, mesmo quando muito tempo e desmedido esforço tenham sido dedicados a elaborar definições, exceções, condições, explanações e cláusulas. Logo nos vem à mente a documentação legal ou diplomática internacional. Esse, podemos pensar, é um exemplo de comunicação entre dois "computadores", em que tudo deve ser reduzido à pura lógica: e/ou. Aqui, o sonho de Descartes vira realidade: nada vale, exceto as idéias exatas, categóricas e absolutas.

Ainda assim, milagrosamente, na vida real a comunicação exata *é* possível, e não é incomum. Ela acontece sem que elaboremos definições, condições ou cláusulas. As pessoas são até capazes de dizer: "Não gosto de como você diz isso, mas concordo com o que quer dizer". Isso é bastante importante. Pode acontecer um "encontro de mentes", para o qual as palavras e gestos são pouco mais que um convite. Palavras, gestos, entonação: esses podem ser uma de duas coisas (ou um pouco de cada) — linguagem de computador, ou um convite para dois programadores se encontrarem.

Se não chegamos a esse "encontro de mentes" com as pessoas mais próximas de nós em nossa vida diária, nossa existência se torna toda angústia e desespero. Para consegui-lo, devo ser capaz de adquirir conhecimento sobre como é ser você, e você deve ser capaz de saber como é ser eu. Nós dois temos de nos tornar inteligentes no que chamo de *segundo campo do saber*. Já que sabemos que pouquíssimo conhecimento chega naturalmente à maioria de nós, e que adquirir mais conhecimento requer esforço, estamos prontos para perguntar a nós mesmos: "O que posso fazer para conhecer melhor e para compreender melhor o que se passa dentro das pessoas com quem convivo?".

A curiosidade notável é que todos os ensinamentos tradicionais nos dão uma — e a mesma — resposta: "É possível compreender os outros seres humanos apenas à medida que se conhece a si mesmo". Naturalmente, a observação e a escuta atentas são também necessárias; a questão é que mesmo a observação perfeita e a escuta atenta de nada adiantam a menos que os dados assim obtidos sejam corretamente interpretados e compreendidos, e a condição principal para a capacidade correta de compreensão é o próprio conhecimento de si mesmo, a própria experiência interior. Em outras palavras, e para usar a terminologia anterior, precisa haver *adaequatio*, ponto a ponto, passo a passo. Alguém que nunca experimentou conscientemente a dor física nada pode saber a respeito da dor sentida pelo outro. Os sinais externos da dor — sons, movimentos, lágrimas — podem, é claro, ser observados por aquele, assim como por qualquer pessoa, mas ele estaria totalmente *inadequado* para compreendê-los corretamente. Sem dúvida ele arriscaria algum tipo de interpretação; poderia achar graça, sentir-se ameaçado ou simplesmente não entender. A *invisibilia* do outro — nesse caso, sua experiência interior de dor — permaneceria invisível a ele.

Deixo ao leitor a exploração da enorme variedade de experiências interiores que preenchem a vida dos homens e mulheres. Como enfatizei anteriormente, elas são todas invisíveis, inacessíveis à observação exterior. O exemplo da dor física é particularmente esclarecedor pois não contém nuances. São poucas as pessoas que questionam a realidade da dor, e a compreensão de que a dor é algo que todos reconhecemos como real, verdadeiro, um dos fatos mais "persistentes" da existência humana que, não obstante, é *invisível para os nossos sentidos externos*, pode ser chocante: se somente aquilo que pode ser observado por nossos sentidos exteriores for considerado real, "objetivo", cientificamente respeitável, a dor poderá ser rejeitada como irreal, "subjetiva", não-científica. E o mesmo se aplica a tudo o que nos move internamente — amor e ódio, alegria e tristeza, esperança, medo, angústia, etc. Se todas essas forças ou movimentos internos não são mesmo reais, eles não devem ser levados a sério; e se eu não os levo a sério dentro de mim, como posso considerá-los reais e levá-los a sério em outra pessoa? É realmente mais conveniente assumir que os outros seres, incluindo as outras pessoas, não sofrem exatamente como sofremos e não têm de fato uma vida interior tão complexa, sutil e vulnerável como a nossa: através das eras o homem demonstrou uma enorme capacidade de carregar o sofrimento alheio com fortaleza e equanimidade. Se, além disso (como o senhor J. G. Bennett observou com exatidão),[1] tendemos a nos ver primeiramente sob a luz de nossas intenções, que são invisíveis aos outros, enquanto observamos os outros à luz de suas ações, que são visíveis a nós, temos uma situação em que os mal-entendidos e injustiças são a ordem do dia.

Não há como escapar desse cenário, exceto através do desenvolvimento sistemático e diligente do primeiro campo do saber, através do qual — e apenas do qual — podemos obter os entendimentos necessários para o desenvolvimento do segundo campo do saber, ou seja, o conhecimento das experiências interiores de outros seres que não nós mesmos.

Para ser capaz de apreender efetivamente a vida interior do meu próximo, é necessário ser capaz de apreender efetivamente a minha própria vida interior. Mas o que isso significa? Significa que devo colocar-me numa condição tal da qual possa observar honestamente o que está acontecendo e começar a entender o que observo.

---

1 J. G. Bennet, *The Crisis in Human Affairs*. Londres, 1948, cap. 6.

Na modernidade, não há dúvidas de que o homem é um ser social, e de que "homem algum é uma ilha, isolado em si mesmo" (John Donne, 1527–1631). Não faltam, portanto, conselhos para que ele ame o próximo ou, pelo menos, não o maltrate, e pratique a tolerância, a compaixão e a compreensão. Ao mesmo tempo, porém, o cultivo do autoconhecimento passou a ser quase totalmente negligenciado, quando não foi, é preciso dizer, objeto de supressão ativa. Que não se pode amar o próximo a menos que ame a si mesmo; que não se pode compreender o próximo a menos que se compreenda a si mesmo; que não pode haver qualquer conhecimento da "pessoa invisível" que é o próximo exceto a partir do autoconhecimento — essas verdades fundamentais foram esquecidas até pelos muitos profissionais das regiões estabelecidas.

Conseqüentemente, as exortações não têm qualquer efeito; o lugar da compreensão genuína do próximo é dominado pelo sentimentalismo, que, é claro, desintegra-se no nada tão logo o interesse pessoal seja ameaçado, e o medo, de qualquer espécie, seja despertado. O posto do conhecimento é dominado por conjecturas, teorias banais, fantasias. A imensa popularidade das mais grosseiras e medíocres teorias psicológicas e econômicas que pretendem "explicar" as ações e motivações alheias — nunca as nossas! — revela as desastrosas conseqüências da atual falta de habilidade em relação ao segundo campo do saber, que, por sua vez, é o resultado direto da recusa moderna a dedicar-se ao primeiro campo do saber, o autoconhecimento.

Qualquer um que se dedique abertamente a uma "jornada interior", que se afasta da agitação incessante da vida diária e busque o tipo de prática — *sattipatthana*, yoga, oração de Jesus ou algo do gênero — sem a qual o genuíno autoconhecimento não pode ser adquirido, é acusado de egoísmo e de virar as costas a seus deveres sociais. Enquanto isso, multiplicam-se as crises mundiais e todos lamentam a escassez, ou mesmo a ausência, de "sábios", homens ou mulheres, líderes altruístas, conselheiros dignos de confiança, etc. Não é nada razoável esperar esse tipo de qualidades elevadas de pessoas que nunca passaram por nenhum "trabalho interior" e sequer imaginam o significado dessas palavras. Eles devem considerar-se pessoas decentes, tementes à lei, bons cidadãos; talvez "humanistas", talvez "crentes".

A maneira como vêem a si mesmos não faz muita diferença. Como uma pianola, eles tocam uma música mecânica; como uma máquina, executam programas pré-estabelecidos. O programador está desacordado. Parte importante do "programa" moderno é rejeitar a religião, classificando-a como moralismo barato, datado e cerimonioso, e rejeitando assim a força — talvez a única força — que pode nos despertar e nos alçar ao verdadeiro nível humano, o da autoconsciência, do autocontrole e, conseqüentemente, do conhecimento e da compreensão do próximo, que nos possibilitarão ajudá-lo quando for necessário.

As pessoas costumam dizer: "É tudo questão de comunicação". É claro que é. Mas a comunicação, como foi dito anteriormente, envolve duas "traduções" — do pensamento para os símbolos, e dos símbolos para o pensamento. Os símbolos não podem ser compreendidos como fórmulas matemáticas; eles devem ser experimentados *interiormente*. Não podem ser apreendidos pela consciência, mas apenas pela autoconsciência. Um gesto, por exemplo, não pode ser compreendido pela mente racional; temos de nos tornar conscientes desse significado dentro de nós mesmos, com o nosso corpo, e não com o nosso cérebro. Às vezes o único caminho para se compreender o humor ou os sentimentos de outra pessoa é imitar sua postura, gestos e expressões faciais. Há uma misteriosa e estranha conexão entre o interior-invisível e o exterior-visível. William James (1842–1910) interessava-se pela expressão corporal das emoções, e desenvolveu uma teoria que afirma que as emoções que sentimos não são nada além de sensações de algumas mudanças corporais:

> O senso comum afirma que, se perdemos a nossa fortuna, choramos e lamentamos; se encontramos um urso, assustamo-nos e fugimos; se somos insultados por um inimigo, nos enfurecemos e atacamos. A hipótese a ser defendida aqui determina que essa seqüência é incorreta [...] e que o cenário mais razoável é que lamentamos porque choramos, nos enfurecemos porque atacamos e temos medo porque tremermos; e não que nós choramos, atacamos ou tremermos porque lamentamos, nos enfurecemos ou temos medo, como parece ser.[2]

---

2 William James, *The Principles of Psychology*. Chicago, 1952, cap. 25.

A hipótese, ainda que seja mais curiosa por sua originalidade do que por seu valor real, evidencia a íntima conexão entre os sentimentos interiores e a expressão corporal; ela indica uma ponte misteriosa que conecta o visível e o invisível, e identifica o corpo como um *instrumento do conhecimento*. Não tenho dúvidas de que um bebê estuda uma enorme variedade das emoções da mãe através da imitação de sua postura e movimentos faciais e então descobre que sentimentos estão associados a essas expressões corporais.

É por essa razão que todos os métodos desenvolvidos para a aquisição do autoconhecimento (campo um) dedicam grande atenção aos gestos e posturas corporais; pois o controle sobre o corpo é, para dizer o mínimo, o primeiro passo para se controlar efetivamente o pensamento. A agitação descontrolada do corpo produz, inevitavelmente, a agitação incontrolável da mente, uma condição que impede qualquer estudo comprometido de nosso mundo interior.

Quando se consegue estabelecer um alto grau de calma e quietude interior, o "computador" é deixado de lado para dar lugar ao "programador". O budismo chama isso de *vipassana*, ou "clareza da visão". Em termos cristãos, acontece um tipo de encontro com um nível mais elevado do ser, superior ao nível humano. Naturalmente, aqueles de nós que nunca tiveram qualquer experiência pessoal desse nível mais elevado não conseguem imaginá-lo, e a linguagem daqueles que tentam falar sobre isso conosco tampouco tem qualquer significado para nós ou parece revelar uma mente perturbada, até mesmo maluca. Não é fácil para nós diferenciar a "loucura" infra-humana da supra-humana, mas podemos observar toda a vida da pessoa em questão: se ela está repleta de demonstrações de grandes poderes intelectuais, capacidade de organização, sabedoria e influência pessoal, podemos ter certeza de que, quando não conseguimos compreendê-las,

> A culpa, meu caro Brutus, não é de nossas estrelas,
> Mas de nós mesmos, que somos inferiores.

Ninguém está *adequado* ao que jaz acima de si, embora a suspeita ou a insinuação de possibilidades, além de um impulso na direção do real esforço por despertar possam ser adquiridos.

Atualmente há uma grande discussão acerca da obtenção de "estados elevados de consciência". Infelizmente, na maioria dos casos essa aspiração não surge de um respeito profundo pela sabedoria tradicional da humanidade, pelas religiões do mundo, mas está baseada em noções fantasiosas como "Era de Aquário" e "evolução da consciência", associadas à total inabilidade de distinguir assuntos espirituais de ocultismo. Parece que o desejo real é obter novas sensações, dominar magias e milagres para, assim, animar o tédio existencial. O conselho para todas as pessoas instruídas nesses assuntos é *não* buscar experiências "místicas" e não se impressionar quando elas acontecerem — e elas vão acontecer, inevitavelmente, quando qualquer esforço interior intensivo for empenhado. O Venerável Mahasi Sayadaw (1904–1955), grande professor de meditação budista *satipatthana*, alerta seus discípulos de que eles terão todo tipo de experiências incomuns:

> Uma luz brilhante aparecerá. Para um, aparecerá como a luz de uma lâmpada, para outros, como a de uma lanterna, ou como o brilho da Lua ou do Sol, e por aí vai. Para um, ela deve durar um segundo, para outros, talvez seja mais longa [...]. Então vem o *êxtase* [...], a *tranqüilidade* da mente [...], uma sensação sublime de *felicidade* [...]. Depois de sentir tal arrebatamento e felicidade acompanhados da "luz brilhante" [...], o meditador então acredita: "Certamente alcancei o Caminho Supramundano da Realização! Já terminei minha tarefa de meditação". Na verdade, foi uma confusão entre o que não é o Caminho e o Caminho, e essa é uma corrupção do entendimento que normalmente acontece, conforme descrevi [...]. Depois de notar a manifestação da luz brilhante e do resto, ou depois de ignorá-las, ele [o verdadeiro discípulo] segue em frente, como antes [...]; ele supera as corrupções relativas à luz brilhante, ao êxtase, à tranqüilidade, ao apego, etc.[3]

Santos e sábios cristãos são igualmente claros quanto a esse ponto. Podemos considerar São João da Cruz (1542–1591) como exemplo:

> As pessoas espirituais podem e costumam ter representações de objetos sobrenaturalmente percebidos pelos sentidos [...].

---

[3] Venerável Mahasi Sayadaw, *The Progress of Insight through the Stages of Purification*. Kandy, Sri Lanka, 1965, cap. 4, p. 4.

> Ora, importa saber que, não obstante poderem ser obra de Deus os efeitos extraordinários que se produzem nos sentidos corporais, é necessário que as almas não os queiram admitir nem ter segurança neles; antes é preciso fugir inteiramente de tais coisas, sem querer examinar se são boas ou más [...]; na realidade, o sentido corporal é tão ignorante das coisas espirituais como um jumento o é das coisas racionais, e até mais.
>
> *Quem estima esses efeitos extraordinários erra muito, e corre grande perigo de ser enganado*, ou, ao menos, *trará consigo um obstáculo infalível para ir ao que é espiritual*.⁴ [Os grifos são meus]

A tão falada "Nova Consciência" não pode nos ajudar a nos livrar de nossas dificuldades; irá apenas alimentar as confusões de sempre, a menos que surja de uma busca sincera por autoconhecimento (o primeiro campo do saber), continue com um igualmente sincero estudo da vida interior de outros seres (o segundo campo do saber) e chegue ao terceiro campo do saber, que será apresentado adiante. Se conduzir apenas ao fascínio dos fenômenos ocultos, pertence ao quarto campo do saber (que também será apresentado a seguir) e nada pode fazer senão ampliar a nossa compreensão de nós mesmos e das outras criaturas.

O trabalho interior, ou yoga, em suas diversas formas, não é uma particularidade oriental, mas, pode-se dizer, é a principal raiz de todas as religiões autênticas. Tudo isso tem sido chamado de "psicologia aplicada à religião",⁵ e é preciso dizer que a religião sem a psicologia aplicada não tem qualquer valor.

> Simplesmente acreditar que uma religião seja verdadeira, e dar assentimento intelectual a suas crenças e a sua teologia dogmática, sem saber se ela é verdadeira testando-a com os métodos científicos do yoga, resulta no cego guiando outro cego.⁶

---

4 São João da Cruz, *Ascent of Mount Carmel*, em *The Complete Works of Saint John of the Cross*. Londres, 1935.

5 Ernest Wood, *Yoga*. Harmondsworth, 1959.

6 W. Y. Evans-Wentz, *Tibetan Yoga and Secret Doctrines*. Londres, 1935, seção XI.

Essa afirmação é do Dr. W. Y. Evans-Wentz, que passou grande parte de sua vida "editando" escrituras sagradas do Tibet e tornando-as acessíveis ao Ocidente. Ele pergunta:

> O homem ocidental tem tanto tempo para se deleitar no estudo do universo ao seu redor, e não para se conhecer a si mesmo? Se, como crê o editor, a sabedoria oriental é capaz de guiar a nós, ocidentais, a um método de atingir a compreensão científica da face oculta da natureza humana, não seríamos estúpidos de privá-los de uma investigação científica imparcial?
>
> As ciências aplicadas nesta parte do mundo são, infelizmente, limitadas apenas a química, economia, matemática, mecânica, física, fisiologia e afins; e a antropologia e psicologia como ciências aplicadas no sentido compreendido no yoga são, para quase todos os cientistas ocidentais, meros devaneios de visionários impraticáveis. Nós não acreditamos, entretanto, que essa visão alienada possa durar.[7]

As "ciências aplicadas no sentido compreendido no yoga" são ciências que encontram seu material de investigação não na aparência dos outros seres, mas *no mundo interior do próprio cientista*. O mundo interior, é claro, não vale a pena de ser estudado — nada se pode aprender com ele — se ele for um caos impenetrável. Enquanto os métodos das ciências ocidentais podem ser aplicados por qualquer um que os aprendeu, os métodos científicos do yoga podem ser efetivamente aplicados apenas por aqueles que podem, antes de tudo, colocar sua casa em ordem através da disciplina e do trabalho interior.

O autoconhecimento, como já foi dito, é a condição essencial para a compreensão das outras pessoas. Esta é também a condição essencial para a compreensão, ao menos até certo ponto, da vida interior dos seres dos níveis inferiores: animais e até mesmo plantas. São Francisco podia se comunicar com animais, e também poderiam fazê-lo homens e mulheres que tivessem atingido um grau excepcional de autodomínio e autoconhecimento. Voltando aos termos que estávamos usando, podemos dizer que tal comunicação não é possível ao computador, mas apenas ao programador. Suas forças certamente vão

---

7 Ibid.

muito além daquelas que a que estamos comumente familiarizados, e não estão confinadas à moldura do tempo e do espaço.

Ernest E. Wood, que realmente pode falar sobre a experiência do yoga, diz:

> Gostaria de proteger o aprendiz dos perigos do autojulgamento e do estabelecimento de metas, e dizer a ele que, já que está invocando forças elevadas de dentro, inferiores e acima de si mesmo, que as deixei fazerem seu trabalho.[8]

Por isso, não é necessário e nem aconselhável falar detalhadamente sobre esses assuntos. Aqueles que têm interesse — não em "adquirir poderes", mas em seu desenvolvimento interior — devem estudar a vida e obra daqueles que se colocaram sob o controle da "mente superior", e assim livraram-se do nosso confinamento comum de tempo e espaço. Não faltam exemplos dessas pessoas, em todas as eras e em todas as partes do mundo.

Será útil aos nossos propósitos dar uma rápida olhada em três casos recentes, em que as possibilidades superiores do ser humano se manifestaram, por assim dizer, diante de nossos próprios olhos. Talvez a primeira coisa a se notar seja que há uma conspiração "oficial" de silêncio ao redor de todos os três, ainda que eles tenham deixado um grande número de evidências, de um tipo ou de outro. Será uma busca vã procurar por dois deles em uma das maiores enciclopédias da atualidade, a *Encyclopaedia Britannica*; o terceiro, por sua vez, recebe uma breve menção tendenciosa, que deixa o leitor com a sensação de que se tratou de um caso de histeria e fraude, indigna de interesse.

O primeiro caso é o de Jakob Lorber, nascido na Estíria, província da Áustria, em 1800. Seu pai tinha dois pequenos vinhedos que produziam o pouco necessário para a subsistência da família, mas também era músico, e podia tocar praticamente todos os instrumentos e conseguia obter uma renda extra como maestro. Seu filho mais velho, Jakob — que tinha dois irmãos mais novos —, aprendeu a tocar órgão, piano e violino, e revelou extraordinário talento musical, mas teve de esperar até o seu

---

8 Ernest Wood. *Practical Yoga, Ancient and Modern*. London, 1951, cap. 4.

quadragésimo aniversário para que lhe fosse oferecido um emprego que lhe desse a oportunidade de mostrar seus talentos. Ele estava prestes a deixar Graz para iniciar seu novo ofício em Trieste quando ouviu em seu interior uma voz muito clara que lhe ordenou: "Levante-se, pegue uma caneta e escreva". Isso aconteceu em 15 de março de 1840, e Jakob Lorber permaneceu em Graz e escreveu o que a voz interior lhe ditou até a sua morte, em 24 de agosto de 1864. Durante esses 24 anos, ele escreveu o equivalente a 25 volumes de quatrocentas páginas cada, uma monumental "Nova Revelação". Os manuscritos originais ainda existem, e demonstram um absoluto domínio da escrita, com pouquíssimas correções. Muitos homens notáveis da época eram amigos íntimos de Lorber; alguns deles o auxiliaram com comida e dinheiro durante os 24 anos de sua atividade de escrita, que lhe tomava tempo demais para que pudesse garantir sua subsistência. Alguns deles escreveram as suas impressões sobre esse homem humilde e totalmente despretensioso, que viveu na pobreza e suportou a pesada carga de sua missão de escrever.

A principal obra dos escritos de Lorber é o *O grande Evangelho de João*, em dez grandes volumes. Não pretendo, aqui, descrever ou classificar esses trabalhos, todos escritos na primeira pessoa do singular — "Eu, Jesus Cristo, lhes falo". Eles contêm muitas coisas estranhas, inaceitáveis para a mentalidade moderna, mas ao mesmo tempo uma quantidade de sabedoria e compreensão que seria extremamente difícil encontrar qualquer coisa mais impressionante em toda a literatura mundial. Ao mesmo tempo, os livros de Lorber estão repletos de afirmações sobre assuntos científicos que contradizem a ciência de seu tempo e antecipam diversas descobertas da física e da astronomia modernas. Ninguém nunca levantou a menor suspeita de que os manuscritos de Lorber tenham vindo à luz durante os anos de 1840 e 1864 e tenham sido escritos por Jakob Lorber, sozinho. Não existe uma explicação racional para a abrangência, a profundidade e a precisão de seu conteúdo. O próprio Lorber sempre assegurou, e convenceu seus amigos, que nada daquilo surgira de sua própria mente, e que ninguém se espantava mais com aqueles conteúdos do que ele mesmo.[9]

---

9 Os escritos de Lorber foram publicados apenas na Alemanha, por Lorber-Verlag. Bietigheim, Württemberg, Alemanha Ocidental.

Há algumas semelhanças entre Lorber e Emanuel Swedenborg (1688–1772), que o precedeu em aproximadamente cem anos. Como se explica que Swedenborg tenha vez nos livros de referência modernos e Lorber não apareça em nenhum deles? O artigo sobre Swedenborg na *Encyclopaedia Brittanica* (15ª edição) traz o seguinte comentário a respeito de sua influência:

> A influência de Swedenborg não está, de maneira alguma, restrita a seus discípulos mais próximos. Suas visões e idéias religiosas têm sido fonte de inspiração para um grande número de escritores proeminentes, incluindo Honoré de Balzac, Charles Baudelaire, Ralph Waldo Emerson, William Butler Yeats e August Strindberg. Seus escritos teológicos foram traduzidos para diversos idiomas e são reeditados com freqüência.

O mesmo pode ser dito sobre Jakob Lorber. Seus livros têm sido impressos continuamente por centenas de anos, e já venderam mais de um milhão de cópias, ainda que a sua existência permaneça irreconhecida pelos órgãos "oficiais" do mundo moderno. Esse fato, em comparação com Swedenborg, parecem-me ilustrar claramente a progressiva constrição e estreitamento da mentalidade moderna. Lorber está muito próximo de nós para ser tolerável; é impossível tratá-lo como uma lenda de um passado distante, tampouco aceitar sua realidade, e a realidade de sua "Nova Revelação", e encarar as implicações dessa aceitação lançaria para longe todo o aparato do cientificismo materialista moderno.

O caso de Edgar Cayce (1877–1945) talvez seja ainda mais impressionante. Ele viveu nos Estados Unidos e deixou mais de 14 mil registros estenográficos de declarações feitas durante uma espécie de sono, respondendo a perguntas muito específicas de mais de 6 mil pessoas diferentes, ao longo de 43 anos. Essas declarações, geralmente denominadas como "leituras", constituem "um dos mais amplos e impressionantes registros da percepção psíquica que já se manifestou em um único indivíduo. Suas gravações, correspondências e anotações foram catalogados sob milhares de tópicos e assuntos, e colocados à disposição de psicólogos, estudantes, escritores e pesquisadores que ainda aparecem, em número cada vez maior, para investigá-los.[10] Para as organizações "oficiais" do mundo moderno, porém, Edgar Cayce simplesmente não existe. A *Encyclopaedia Britannica* não o menciona. As chances de estudantes de medicina, psicologia, filosofia ou quaisquer outras áreas ouvirem falar desse grande curandeiro em suas universidades é praticamente nula.

Como Jakob Lorber, Edgar Cayce viveu modestamente, ou mesmo na pobreza, durante grande parte de sua vida. Ele nunca explorou a imensa fama que conquistou ao longo do tempo. O trabalho a que seus dons o impeliram era com freqüência um peso para ele e, apesar de seu mau gênio, nunca perdeu a modéstia e a simplicidade. Milhares de pessoas procuravam-no para socorros médicos. Colocando-se numa espécie de transe, ele era capaz de fazer diagnósticos precisos de doenças em pessoas que lhe eram totalmente estranhas, mesmo vivendo a milhares de quilômetros de distância. Ele diz:

> Aparentemente, sou um dos poucos que conseguem abandonar a própria personalidade a ponto de permitir que suas almas façam essa conexão com a fonte do conhecimento universal — digo isso, no entanto, sem qualquer tipo de vaidade [...]. Tenho certeza de que todos os seres humanos têm poderes muito maiores do que imaginam — e estiverem dispostos a pagar o preço do abandono de si mesmos que é necessário para desenvolver essas habilidades. *Você estaria disposto, mesmo que uma vez ao ano, a deixar de lado, a deixar totalmente de fora a sua própria personalidade?* [Grifos meus]

Ainda mais atual que Edgar Cayce é Therese Neumann, também conhecida como Therese de Konnersreuth, que viveu no sul da Alemanha entre 1898 e 1962. Se as evidências documentais e os depoimentos de testemunhas em relação a Therese Neumann não têm valor como comprovações confiáveis, então nenhuma evidência é confiável, não se pode acreditar em ninguém e o conhecimento humano é impossível. Muita coisa pode ser dita a respeito da vida interior de Therese e suas

---

10 Veja os livros sobre Edgar Cayce de Hugh Lynn Cayce e Edgar Evans Cayce (seus filhos), Thomas Sugrue, M. E. Penny Baker, Elsie Sechrist, W. e G. McGarey, Mary Ellen Carter, Doris Agee, Noel Langley e Harmon Hartzell Bro.

manifestações extraordinárias; mas talvez o fato que mereça maior destaque em relação a ela seja que: era uma camponesa robusta, alegre e totalmente comum que viveu 35 anos sem ingerir qualquer alimento, líquido ou sólido, exceto a Eucaristia diária. Não se trata de uma lenda de tempos remotos e imemoriais; isso aconteceu diante de nossos olhos, inúmeras pessoas puderam observá-lo e investigá-lo continuamente por 35 anos, em Konnersreuth, como era chamada a região americana da Alemanha Ocidental.

Jankob Lorber, Edgar Cayce e Therese Neumann eram pessoas fervorosamente religiosas que nunca deixaram de afirmar que todo o seu conhecimento vinha de "Jesus Cristo" — de um nível infinitamente superior ao de sua insignificância. Nesse nível supra-humano, cada um deles encontrou, em suas várias formas, a libertação das restrições que agem no nível da humanidade comum — limites impostos pelo tempo e espaço, pelas necessidades físicas e pela opacidade da mente-computador. Os três exemplos ilustram a verdade paradoxal de que tais "poderes superiores" não podem ser conquistados através de qualquer investida e conduzidos pela personalidade humana; apenas quando o esforço para alcançar tal "poder" tiver cessado completamente, substituído por certo desejo transcendental, chamado às vezes de amor de Deus, ele pode — ou não — "vos ser dado por acréscimo".

CAPÍTULO 8

Os quatro campos do saber
CAMPO TRÊS

Diante de fatos como esses, representados pelas vidas de Jakob Lorber, Edgar Cayce, Therese Neumann, e muitos e muitos outros, o mundo moderno deixa de lado sua postura pragmática, da qual tanto se orgulha, e simplesmente fecha os olhos; pois há uma total aversão, como mencionei anteriormente, contra qualquer coisa que pertença a um nível do ser que seja mais elevado que sua vidinha monótona e comum.

Essa aversão não se deve ao medo. Mas não há grandes perigos na busca pelo autoconhecimento? Há, sim, como já mencionamos, e isso nos leva ao *terceiro campo do saber*: o estudo diligente do *meu* mundo interior (primeiro campo) e do mundo interior *do outro* (segundo campo) deve ser equilibrado e aperfeiçoado por um igualmente diligente estudo de *mim mesmo como um fenômeno objetivo*. Para ser saudável e completo, o autoconhecimento deve ser formado por duas partes — o conhecimento de meu próprio mundo interior (primeiro campo) e o conhecimento de mim mesmo como sou conhecido pelo outro (terceiro campo). Sem o último, o primeiro irá nos guiar rumo às mais grosseiras e destrutivas ilusões.

Temos acesso direto ao primeiro campo; mas nenhum acesso ao terceiro campo. O resultado disso é que as nossas intenções tendem a ser mais reais que as nossas ações, o que pode gerar um enorme número de mal-entendidos com as pessoas à nossa volta, para quem as nossas ações tendem a ser mais reais que as nossas intenções. Se faço um "retrato de mim mesmo" servindo-me apenas do primeiro campo, o das minhas experiências interiores, inevitavelmente verei a mim mesmo como "o centro do universo": tudo gira ao meu redor; quando fecho meus olhos, o mundo desaparece; meu sofrimento transforma o mundo em um vale de lágrimas; minha felicidade, em um jardim de delícias. Um trecho dos diários do Dr. Goebbels — um dos três grandes da Alemanha nazista — me vem à mente: "Se perecermos", diz ele, "todo o mundo perecerá". Mas não precisamos desses exemplos tenebrosos. Há filósofos inofensivos e bem comportados que questionaram se a árvore para a qual estavam olhando permaneceria ali quando ninguém estivesse olhando. Eles se perderam no primeiro campo, e não foram capazes de chegar ao terceiro.

No terceiro campo, totalmente separado, é necessária uma análise objetiva, livre de quaisquer associações. O que observo, de fato? Ou, então, o que eu veria se pudesse me ver como sou visto? Esta é uma missão árdua. Sem que isso se cumpra, relações harmoniosas com as outras pessoas serão impossíveis; e a ordem "não faça aos outros aquilo que você não gostaria que fizessem com você" perde todo o sentido se não tenho consciência de meu real impacto sobre as pessoas.

> Certa vez li um conto sobre um homem que morreu e foi para o outro mundo, onde encontrou algumas pessoas conhecidas de quem ele gostava, e outras de quem não gostava. Porém, havia ali uma

> pessoa que ele não conhecia, mas que não conseguia suportar. Tudo o que essa pessoa dizia o irritava e enfurecia — seus modos, seus hábitos, sua indolência, sua maneira falsa de falar, suas expressões faciais —; e parecia também que ele conseguia ver tudo o que havia nos pensamentos desse homem, seus sentimentos, seus segredos e, de fato, toda a sua vida. Ele perguntou aos outros quem era aquele homem insuportável. Ao que responderam: "Aqui em cima temos espelhos especiais, um tanto diferentes dos espelhos do seu mundo. Esse homem é você". Suponhamos, então, que você tenha de viver com uma pessoa que é... você. Talvez seja isso que a outra pessoa tenha de fazer. É claro que, se você não pratica a auto-observação, deve imaginar que seria algo encantador e que, se todas as pessoas fossem como você, o mundo seria um lugar melhor. Não há limites para a vaidade e a auto-estima. Colocando-se na posição de outra pessoa, você também se coloca sob o ponto de vista dela, sob como ela o vê, ouve e conhece em seu comportamento comum. Você se vê através desses outros olhos.[1]

Eis uma descrição nítida e exata que explica o que é obter o conhecimento do terceiro campo e, conseqüentemente, que esclarece que o conhecimento do primeiro campo é de um tipo diferente do conhecimento do terceiro, e que o primeiro sem o último é menos que inútil.

Todos têm uma curiosidade muito natural em relação ao que parecem, a como soam e qual a impressão que causam nas outras pessoas. Mas os "espelhos especiais" do conto não existem neste mundo — talvez por misericórdia. O choque a que seríamos expostos seriam muito maior do que podemos suportar. É sempre doloroso perceber que somos errados, e temos muitos mecanismos para nos proteger dessa revelação. Nossa curiosidade natural, então, não nos leva muito longe rumo ao terceiro campo, e todos nos entretemos muito mais em estudar os erros alheios do que os nossos. O Dr. Nicoll relembra as palavras dos Evangelhos: "Por que vês tu a aresta no olho do teu irmão, e não reparas na trave que tens no teu olho?" (Lc 6, 41). Ele aponta também que:

---

[1] Maurice Nicoll, *Psychological Commentaries on the Teaching of G. I. Gurdjieff and P. D. Ouspensky*. Londres, 1952–6, vol. I, p. 266.

> No original grego, a palavra usada para a "aresta" é simplesmente "olhar". Isso é fácil de compreender. Mas a palavra usada para "trave" é interessante. Significa "tomar conhecimento, detectar, adquirir conhecimento sobre algo, aprender, observar, compreender". É claro que é algo mais complexo do que somente *olhar* as faltas do outro. Mudar de lado não é fácil.[2]

Como, então, podemos agir para cumprir essa ação, tão importante para a harmonia de nossa vida em sociedade? As instruções estão expressas nos livros das religiões tradicionais, embora de maneira um pouco difusa. Talvez a orientação mais eficiente nesse campo seja a encontrada no livro *Comentários psicológicos sobre os ensinamentos de G. I. Gurdjieff e P. D. Ouspensky*, de Maurice Nicoll, já citado diversas vezes aqui. Suas orientações podem ser resumidas pela expressão "consideração exterior", ou seja, colocar-se no lugar do outro. Isso exige alto grau de honestidade e liberdade interior. Não se pode aprender a fazê-lo em um dia, e boas intenções não dão resultado sem esforços prolongados.

Mas que tipo de esforço? Nada, nesse sentido, é possível sem a autoconsciência. Para colocar-me no lugar do outro é preciso sair da minha própria posição. A consciência, sozinha, não irá fazê-lo; ela apenas atesta a minha posição. O computador nada pode fazer além de reproduzir seu programa pré-estabelecido. É apenas o programador quem pode efetuar uma mudança real, como "colocar alguém na posição de outrem". Em outras palavras, a habilidade ou poder exigido não é a simples consciência — o que chamei de "fator y", que possibilita classificar alguns seres como animais — mas a autoconsciência, o "fator z", que faz desses animais seres humanos. Como coloca o próprio Dr. Nicoll, "a consideração exterior é um árduo trabalho. Não tem a ver com estar certo, seja você ou o outro. Isso amplia a consciência",[3] e devo completar: "*ao nível da autoconsciência*".

Há uma coisa, pelo menos, de que estamos sempre conscientes em relação a nós mesmos: a "oscilação do pêndulo". As outras pessoas percebem como nos contradizemos, mas nós, não. O conhecimento

---

2 Ibid., vol. IV, p. 1599.
3 Ibid., vol. I, p. 267.

do terceiro campo irá nos ajudar a ver a nós mesmos como os outros nos vêem, e, conseqüentemente, a enxergar as nossas contradições. Esse é um assunto muito importante, sobre o qual falaremos adiante. Não é como se as aparentes contradições fossem necessariamente manifestações de erros; é mais provável que elas sejam manifestações da Verdade. Os opostos estão em todo lugar, e percebemos sempre a dificuldade que existe em manter dois opostos ao mesmo tempo em nossas mentes. As outras pessoas podem observar facilmente a oscilação do meu pêndulo, de um lado para o outro, assim como posso observar a oscilação dos pêndulos alheios. Mas é minha tarefa — no terceiro campo — pelo menos tornar-me *totalmente* consciente da oscilação do *meu* pêndulo, do fato de que *eu* tendo a mudar freqüentemente de opinião para o seu oposto; e também é minha tarefa não apenas ter total consciência de minhas oscilações, mas observá-las sem criticá-las, ou seja, sem tentar julgá-las ou justificá-las. A essência dessa tarefa no terceiro campo é a auto-observação acrítica, através da qual se pode obter um retrato moderado e objetivo do que está de fato acontecendo — e não um retrato cheio de retoques feitos por nossas opiniões acerca do certo e do errado.

Um dos métodos de estudo no terceiro campo é "tirar fotografias", ou seja, capturar momentos espontâneos de alguém, como quando não estamos nos observando conscientemente. Sobre isso, Dr. Nicoll tem algo a dizer:

> Se você tiver obtido um álbum com boas fotografias de si mesmo depois de um longo e atento período de auto-análise, você não terá de procurar tanto nele para encontrar em si mesmo o que tanto o incomoda no outro, e então será capaz de se colocar no lugar do outro, percebendo que ele também tem o que você observou em si mesmo, que ele também tem suas dificuldades interiores, assim como você, e por aí vai...
>
> Quanto menor a sua vaidade [...], e quanto mais de fora você se vir, menos importante irá se considerar.[4]

---

4 Ibid., vol I, p. 259.

Enquanto os — necessários! — estudos no primeiro campo tendem a despertar a noção de auto-importância, os estudos do terceiro campo, em contrapartida, nos fazem perceber toda a nossa insignificância. O que sou no meio desse imenso universo? O que sou — uma formiguinha entre milhões e milhões de formiguinhas sobre este pequenino planeta Terra! Para lembrar Pascal (1623–1662), "o homem é apenas um caniço, o que há de mais fraco na natureza; mas ele é um caniço que pensa" — ou seja, um caniço com autoconsciência, infinitamente preciosa, ainda que, na maior parte do tempo, sua autoconsciência permaneça adormecida, como mera potencialidade.

O principal recurso que temos para obter conhecimento no terceiro campo é o fato de sermos seres sociais; não vivemos sozinhos, mas rodeados de pessoas. Essas outras pessoas são uma espécie de espelho no qual podemos observar a nós mesmos como realmente somos, não como imaginamos que somos. O melhor método que podemos seguir para obter o conhecimento necessário sobre nós mesmos é observar e compreender as necessidades, dificuldades e limitações do outro, colocando-nos no lugar deles. Um dia, chegaremos ao ponto em que conseguiremos fazer isso de maneira tão perfeita que nós, miniegos cheios de necessidades, dificuldades e limitações, não nos enxergaremos assim, absolutamente: a total ausência do ego significa total objetividade e total eficiência.

Ao cristão é dito para "amar o próximo como a si mesmo". O que isso significa? Quando uma pessoa ama a si mesma, não há nada entre aquele que ama e aquele que é amado. Porém, quando ela ama o próximo, seu próprio ego tende a se colocar no meio. Amar o próximo como a si mesmo, portanto, significa amar sem nenhuma interferência do próprio ego; é a realização do perfeito altruísmo, a eliminação de qualquer resquício de egoísmo.

Assim como a compaixão é pré-requisito para o aprendizado no segundo campo do saber, o altruísmo é pré-requisito para que se aprenda no terceiro.

Anteriormente, observamos que não temos "livre acesso" à observação desses dois campos. É apenas através da compaixão e do altruísmo, as mais altas qualidades morais, que seremos capazes de acessá-los.

CAPÍTULO 9

Os quatro campos do saber
CAMPO QUATRO

I

Voltaremos a atenção agora para o *quarto campo do saber*, a "aparência" do mundo à nossa volta. Com "aparência" quero dizer tudo o que é oferecido aos nossos sentidos. No quarto campo do saber a principal questão é: "O que observo, de fato?", e o progresso nele está atrelado à eliminação de suposições, noções e pressupostos a respeito de princípios, causas, etc., que não podem ser verificadas pela observação sensorial. O quarto campo, portanto, é a verdadeira pátria de todo tipo de *behaviorismo*: apenas o comportamento que pode ser observado tem valor. Todas as ciências se ocupam desse campo, e muitas pessoas crêem que é apenas nele que se pode obter o verdadeiro conhecimento.

Para dar um exemplo, cito Vilfredo Pareto (1848–1923), cujo *Tratado de sociologia geral* tem sido aclamado como "o maior e mais valioso esforço" já empreendido rumo ao "pensamento objetivo isento de opinião, e [...] aos métodos através dos quais o estado racional da mente pode ser desenvolvido".[1] Como muitos outros, Pareto insiste que é apenas no que chamo de "quarto campo" que pode haver uma "abordagem científica":

> O campo no qual nos movemos é o campo estrito da experiência e da observação. Utilizamos esses termos de acordo com o significado que têm em ciências como astronomia, química, fisiologia, e assim por diante, e não para designar essas outras coisas que estão na moda e vêm acompanhadas de termos como experiência "interior" e "cristã".[2]

Em outras palavras, Pareto deseja basear-se exclusivamente na "experiência e observação", e restringe o significado desses dois termos aos fatos que os nossos sentidos objetivos, auxiliados por ferramentas e outros aparatos e guias, e por teorias, podem apurar. Assim, ele exclui todas as experiências interiores, como amor e ódio, esperança e medo, alegria e angústia, e até a dor. Ele considera que essa é a única abordagem racional possível, e a receita para o verdadeiro êxito:

> É fácil compreender como a história das ciências até o nosso tempo é essencialmente a história das batalhas contra os métodos de introspecção, a etimologia, análises da expressão verbal [...]. Atualmente [o último] método tem sido expressamente banido das ciências naturais, *e os avanços que se tem feito são fruto desse banimento*. Porém, ele ainda se pavoneia na política e na economia e, mais descaradamente, na sociologia; se essas ciências querem mesmo avançar, é imperativo que sigam o exemplo das ciências naturais.[3] [Os destaques são meus]

1 Arthur Livingston, na nota do editor a *The Mind and Society* (ver nota seguinte).
2 Vilfredo Pareto, *The Mind and Society*. Londres, 1935.
3 Ibid.

Aqui fica claro para nós que Pareto não pretende ou não é capaz de distinguir os diferentes níveis do ser. Uma coisa é banir o conhecimento "interior" dos estudos da natureza inanimada, o mais inferior entre os quatro níveis do ser, simplesmente porque, até onde sabemos, não existe vida interior nesse nível e tudo é aparência. Outra coisa totalmente diferente é bani-la dos estudos da natureza e do comportamento humanos no mais elevado dos quatro níveis do ser, em que a aparência externa quase nada importa em comparação à experiência interior.

No segundo campo do saber — a experiência interior dos outros seres —, descobrimos que podemos aprender muito a respeito dos níveis mais elevados do ser, e menos a respeito dos níveis inferiores. No quarto campo do saber, sobre o qual refletimos agora, acontece o inverso: podemos saber mais a respeito da matéria inanimada e menos a respeito dos seres humanos.

De acordo com Pareto, que não reconhece níveis diferentes de ser, "não existe a mínima diferença entre as leis da economia, da política ou da sociologia e as leis das outras ciências". Ele pode ser considerado um exemplo característico do pensador que se recusa a reconhecer a hierarquia dos níveis do ser e, por isso, não vê qualquer diferença entre uma pedra e um homem que não seja uma diferença de "complexidade":

> As diferenças que existem [estão] [...] sobretudo na complexidade, maior ou menor, em que os efeitos das várias leis estão interligados [...]
> Outra diferença nas leis científicas está na possibilidade de isolar seus efeitos com experimentos [...]. Certas ciências [...] podem e fazem amplo uso dos experimentos. Outras os usam mas moderadamente; outras, como as ciências sociais, quase nunca.[4]

Com a matéria inanimada podemos, sim, fazer os experimentos que quisermos; nenhuma interferência de qualquer intensidade pode destruir a sua vida — pois não a tem — ou distorcer sua experiência interior — pois ali não há vida interior.

4 Ibid.

A experimentação é um método válido e legítimo apenas quando não desqualifica seu objeto de estudo. A matéria inanimada não pode ser destruída; apenas transformada. A vida, a consciência e a autoconsciência, por outro lado, podem facilmente sofrer danos e são quase invariavelmente destruídas quando o elemento da liberdade, inerente a essas três forças, é considerado inexistente.

Não é apenas a complexidade nos níveis superiores do ser que depõe contra o método experimental, mas, ainda mais importante, também o fato de que a casualidade, que reina soberana no nível da matéria inanimada, nos níveis mais elevados é colocada em uma posição subserviente. A casualidade pára de governar e é empregada por forças superiores, para propósitos desconhecidos no nível da física e da química.

Ao perder-se essa medida e tentar-se estabelecer todas as ciências nos mesmos moldes da física, obtém-se certo tipo de "progresso"; acumula-se um tipo de conhecimento que, todavia, será uma barreira para a compreensão e mesmo uma praga da qual é difícil escapar. O inferior toma o lugar do superior, assim como quando o estudo de uma grande obra de arte se limita ao estudo do material utilizado.

Física, química e astronomia são consideradas as ciências mais desenvolvidas e prósperas. As ciências naturais, assim como as ciências sociais e as assim chamadas "humanidades", são consideradas menos desenvolvidas porque estão rodeadas de uma infinidade de grandes incertezas. Se "maturidade" for uma boa palavra, poderíamos dizer que quanto mais maduro é o objeto de estudo, menos madura é a ciência que o estuda. É fato que há mais maturidade em um ser humano do que em uma amostra de minerais. E que tenhamos adquirido mais conhecimento exato — de certo tipo — sobre o último do que sobre o primeiro não nos deve surpreender se lembrarmos que:

se "matéria" é m
"ser humano" é $m+x+y+z$.

A física lida apenas com m, e ela o faz, como já vimos, de maneira severamente restrita. Seu projeto de pesquisa pode ser completo, assim como o estudo da mecânica pode ser considerado concluído, e é isso que talvez possamos chamar de "maturidade". É certo que o estudo de *x*, *y* e *z* nunca serão concluídos.

Se observarmos atentamente o que as várias ciências do quarto campo realmente fazem, descobriremos que podemos dividi-las em dois grupos: aquelas que são essencialmente *descritivas* do que pode ser visto ou experimentado, e aquelas que são *instrucionais* a respeito de como certos sistemas funcionam e podem ser produzidos para atingir resultados previsíveis. A botânica é um exemplo do primeiro grupo, e a química do segundo. A diferença entre esses dois grupos é raramente observada, e o resultado disso é que a maioria das filosofias da ciência estão relacionadas apenas com as ciências instrucionais, e tratam as descritivas como se não existissem. Não é, como muitas vezes se disse, como se a diferença entre "descritivo" e "instrutivo" significasse apenas graus de maturidade ou estágios de desenvolvimento da ciência. F. S. C. Northrop declara que "qualquer ciência empírica, em seu desenvolvimento normal e saudável, começa com uma ênfase puramente indutiva [...] e então chega à maturidade com a teoria formulada por dedução, em que *lógica formal e matemática desempenham o papel mais significativo*".[5] Isso é perfeitamente aplicável à ciência "instrucional"; Northrop dá como exemplos a geometria e a física, ciências instrucionais por excelência; mas isso nunca caberá às ciências descritivas como a botânica, zoologia e geografia, para não dizer das ciências históricas, quer estudem a natureza ou o ser humano.

A distinção entre ciência descritiva e instrucional é similar, mas não idêntica, àquela entre "ciência para a compreensão" e "ciência para a manipulação" que discutimos anteriormente. Uma *descrição* fiel responde à questão: "Com que me deparo, de fato?", ao passo que uma *instrução* responde a uma pergunta diferente: "O que devo fazer para obter tal resultado?". Não é preciso dizer que nem a ciência descritiva, nem a instrucional são mero acúmulo de fatos tal como se apresentam na natureza; nos dois casos os fatos são "purificados" ou "idealizados"; formam-se conceitos e teoremas são elaborados. Uma descrição fiel, porém, é regida pela preocupação "preciso ser cuidadoso

---

5 F. S. C. Northrop, *The Logic of the Sciences and the Humanities*. Nova York, 1959, cap. 8.

para não ignorar nada importante", enquanto que uma instrução é mais eficaz à medida que exclui, rigorosamente, todos os fatores que não são estritamente necessários. Fala-se da "navalha de Occam", responsável por controlar a exclusão de tudo o que é supérfluo do ponto de vista dos resultados. Podemos dizer, então, que a ciência descritiva se preocupa — ou deveria se preocupar — essencialmente com a *verdade inteira*; enquanto que a ciência instrucional se preocupa essencialmente com *partes* ou *aspectos da verdade* na medida em que são usados para a manipulação. Nos dois casos usei a palavra "essencialmente" pois esta não é, e não pode ser, questão de diferença absoluta.

Para serem eficazes, as instruções devem ser precisas, claras, acima de qualquer dúvida ou discussão. Não é muito eficaz instruir alguém a "pegar uma quantidade de água a uma temperatura confortavelmente morna". Isso pode servir para uma receita culinária, mas nunca para uma *ciência exata*. Devemos saber exatamente quanta água e sua temperatura exata; não deve haver espaço para interpretações pessoais. Conseqüentemente, a ciência instrucional é totalmente quantificada, e as qualidades (como a cor vermelha, por exemplo) têm o seu papel apenas quando se relacionam com algum fenômeno quantitativamente definível (como ondas de luz de certa freqüência). Seus meios de progresso são a lógica e a matemática.

Ao longo desse avanço descobriu-se que há uma esquisita e maravilhosa ordem matemática nos fenômenos físicos, e isso conduziu a mente de alguns dos mais prolíficos físicos modernos para longe do materialismo puro, que dominou sua ciência no século XIX, e o fez levar em conta a realidade transcendente. Mesmo que a religião tradicional, que atribuía a Deus "o reino, o poder e a glória", permanecesse inaceitável para eles, não podiam deixar de reconhecer o supremo talento matemático em algum lugar na construção e administração do universo. Assim, nesse sentido, existe um movimento importante com o intuito de fechar a fenda imensuravelmente nociva entre ciência e religião. Alguns dos mais proeminentes físicos modernos concordaria com a afirmação de René Guénon de que "toda a natureza nada mais é do que o símbolo das realidades transcendentes".[6]

6 René Guénon, *Symbolism of the Cross*. Londres, 1958, cap. 4.

Se atualmente alguns físicos pensam em Deus como um grande matemático, este é um reflexo significativo do fato de que a "ciência instrucional" lida apenas com o aspecto inanimado da natureza. A matemática está muito distante da vida. Em suas alturas, ela certamente manifesta uma beleza austera e uma elegância fascinante, e pode até ser considerada um sinal da Verdade; porém, é igualmente certo que não possui calor, nem a desordem de crescimento do que é vivo, nem decadência, esperança e desespero, contentamento ou sofrimento. Não se pode ignorar que a física e outras ciências instrucionais se limitam ao aspecto inanimado da realidade, e isso é necessariamente verdade se o objetivo e o propósito da ciência é produzir resultados previsíveis. A vida, e, ainda mais, a consciência e a autoconsciência, não podem ser ordenadas; elas têm, por assim dizer, vontade própria, o que é um sinal de maturidade.

O que devemos lembrar neste momento — e escrever em nosso "mapa do conhecimento" — é que, como a física e as outras ciências instrucionais baseiam-se apenas nos aspectos inanimados da natureza, *elas não podem conduzir à filosofia, uma vez que a filosofia nos serve de guia a respeito do que seja a "vida"*. A física do século XIX afirmou que a vida é um acidente cósmico sem propósito ou significado. Os melhores físicos do século XX retomam tudo isso e afirmam que lidam apenas com sistemas específicos e rigorosamente isolados, mostrando como eles funcionam ou podem funcionar, e que nenhuma conclusão filosófica pode (ou deve) ser extraída desse conhecimento.

No entanto, é evidente que as ciências instrucionais, mesmo que não dêem orientações de como conduzirmos nossas vidas, estão moldando-as, através das tecnologias que geram. Se esses resultados servem para o bem ou para o mal é questão totalmente alheia a seu departamento. Nesse sentido, é correto dizer que as ciências são eticamente neutras. E também é verdade, no entanto, que não existe ciência sem cientistas, e que questões de bem ou mal, mesmo se deixadas fora do departamento das ciências, não são alheias aos cientistas. Atualmente, não é nenhum exagero falar da crise da ciência (instrucional). Se ela continuar como um semideus fora do controle humano haverá tamanha reação e revolta que não excluiria a possibilidade de violência.

Como as ciências instrucionais não estão preocupadas com a verdade inteira, mas apenas com partes ou aspectos da verdade através dos quais pode-se obter *resultados*, é certo que elas deveriam ser julgadas exclusivamente por seus resultados.

A declaração de que a "ciência" traz a "verdade", um conhecimento absoluto, inabalável e seguro que foi "cientificamente comprovado", e que sua habilidade única lhe atribui um *status* mais elevado que o de qualquer outra atividade humana — essa declaração que determina o prestígio da "ciência" precisa ser analisada com atenção. O que é a prova? Podemos pensar em diversas teorias diferentes: pode qualquer uma delas ser "provada"? Podemos ver de imediato que é possível provar uma receita ou qualquer outra instrução escrita da seguinte forma: "Se você fizer x, obterá y". Se tais instruções não funcionarem, são inúteis; se funcionarem, foram "provadas". O *pragmatismo* é a filosofia que sustenta que a única idéia válida de verdade é aquela que *funciona*. O pragmático afirma: "É irracional dizer que, 'quando uma idéia é verdadeira, funciona'; o certo seria dizer que, 'quando uma idéia funciona, é verdadeira'". Em sua forma mais pura, portanto, o pragmatismo é estéril como um método de tentativa e erro: todo tipo de instruções, consideradas isoladamente, podem funcionar; porém, a menos que eu tenha alguma idéia do princípio ou "lei" que faz determinado sistema funcionar, minhas chances de ampliar o alcance do conhecimento instrucional são pífias. A idéia de evidência, e, assim, a idéia de verdade nas ciências instrucionais têm, por isso, dois lados: a instrução funciona, ou seja, gera os resultados previstos, e também deve ser *inteligível* nos termos dos princípios científicos estabelecidos. Os fenômenos que não são inteligíveis nesse sentido não têm utilidade na ciência instrucional e, portanto, não interessam. É uma exigência metodológica das ciências instrucionais ignorá-las. Não cabe a tais fenômenos questionar os princípios científicos já estabelecidos; isso não teria qualquer valor pragmático. Como destaquei anteriormente, as ciências instrucionais não se ocupam da verdade inteira, mas apenas da mínima amostra de verdade necessária para tornar as instruções eficazes e confiáveis. Assim, a prova, nas ciências instrucionais, sofre das mesmas limitações: determina que certo conjunto de instruções funcionam e que há verdade suficiente nos princípios subjacentes para permitir que elas funcionem; mas não estabelece que outras instruções podem não funcionar, ou que um conjunto totalmente diferente de princípios científicos também não venham ao caso. Como é sabido, as instruções anteriores a Copérnico sobre como calcular os movimentos do sistema solar, baseadas na teoria de que o Sol gira ao redor da Terra, por longo tempo produziu resultados muito mais precisos que as instruções posteriores.

Qual é, então, a natureza da prova nas ciências descritivas? A resposta é óbvia: pode haver classificações, repetição de padrões, especulações e teoremas de diferentes graus de plausibilidade — *mas jamais poderá haver provas*. As provas científicas existem apenas nas ciências instrucionais, dentro das limitações mencionadas anteriormente, pois só pode ser provado o que, com as nossas mentes ou com as nossas mãos, podemos fazer nós mesmos. Nossas mentes podem *fazer* geometria, matemática e lógica; somos, por isso, capazes de emitir instruções que funcionem, e assim estabelecer provas. Da mesma forma, as nossas mãos são capazes de efetuar uma grande variedade de processos envolvendo a matéria; e conseqüentemente somos aptos a dar instruções para obter resultados predeterminados — instruções que funcionam — e assim estabelecer as evidências. Sem o "fazer" na base das instruções, não poderá haver provas.

Em relação às ciências instrucionais, não há qualquer discordância com o pragmatismo; ao contrário, é precisamente a elas que o pragmatismo pertence — o lugar que ele ocupa no "mapa do conhecimento". Tampouco pode haver qualquer discordância em relação a restringir a idéia de verdade aos fenômenos inteligíveis, o que significa descartar os incompreensíveis, e a teorias de valor heurístico, o que significa descartar teorias que se revelem "inférteis" e não levem a um aumento do conhecimento instrucional. Essas são condições metodológicas que, quando observadas rigorosamente, geram "progresso", ou seja, o aumento da competência humana e o poder de colocar fenômenos naturais a serviço de seus próprios propósitos.

No entanto, questões sem fim surgem quando as condições metodológicas das ciências instrucionais são tomadas como metodologia científica *per se*. Aplicadas às ciências descritivas, elas conduzem à metodologia do equívoco. As restrições do pragmatismo, dos princípios heurísticos ou da navalha de Occam não são compatíveis com a descrição fidedigna. (A importância deste ponto será esclarecida mais adiante, quando chegarmos à teoria da evolução).

A física e as demais ciências instrucionais lidam com a matéria inanimada, que, até onde sabemos, é destituída de vida, consciência e autoconsciência. Nesse nível do ser não há nada além da "aparência exterior", em oposição a "experiência interior", e todos nós nos voltamos a esses fatos observáveis. Naturalmente, podem ser apenas fatos, e quando dizemos "fatos" deduzimos que possam ser reconhecidos por qualquer observador. Fatos não-reconhecidos — mais ainda, fatos irreconhecíveis — não podem e não devem desempenhar qualquer papel nas teorias da física. Assim, é um tanto improdutivo, nesse nível, fazer uma distinção entre "o que podemos saber" e "o que de fato existe", ou seja, entre *epistemologia* e *ontologia*. Quando o cientista moderno diz que "em nossos experimentos, mais cedo ou mais tarde encontramos a nós mesmos", ele quer apenas declarar o óbvio, ou seja, que os resultados experimentais dependem, não total, mas amplamente, da questão que o cientista colocou por meio de seus arranjos experimentais. Não há nenhum mistério nisso, e é um grande equívoco concluir que isso implica o desaparecimento da diferença entre o observador e o que é observado. Os filósofos escolásticos falaram sobre esse assunto de maneira muito simples: todo o conhecimento é obtido *per modum cognescentis* — de acordo com os poderes cognitivos do observador.

A distinção entre epistemologia e ontologia, ou entre "o que podemos saber" e "o que existe de fato", ganha significado apenas quando avançamos na cadeia do ser. Tomemos como exemplo o fenômeno da vida. Podemos reconhecer o fato da vida, e esse reconhecimento fez que as pessoas afirmassem que "em todas as coisas vivas há um fator intrínseco — indefinível, inestimável e imensurável — que ativa a vida".[7] Fala-se, então, em "vitalismo". Essa visão, no entanto, não é aceitável pelas ciências instrucionais. Dizem que Ernest Nagel, filósofo da ciência, tocou a "valsa fúnebre do vitalismo" em 1951 ao declará-lo um caso encerrado "graças à infertilidade do vitalismo

---

7 "Nature, Philosophy of", em *The New Enciclopaedia Britannica*, 1975, vol. XII, p. 873.

como um guia nas pesquisas biológicas e ao valor heurístico superior de abordagens alternativas".[8]

Um ponto interessante e notável é que esse argumento contra o vitalismo não está preocupado com a sua *verdade*, mas com a sua *fertilidade*. Confundir essas duas noções é um erro muito comum que gera uma série de danos. Um princípio metodológico — "fertilidade" —, perfeitamente legítimo enquanto tal, é substituído pela idéia de verdade, e expandido em uma filosofia com reivindicações universais. Como propõe Karl Stern, "métodos se tornam mentalidades".[9] Uma afirmação é considerada falsa não por parecer incompatível com a experiência, mas por não servir de guia na pesquisa e por não ter nenhum valor heurístico; por outro lado, uma teoria é considerada verdadeira, não importa o quão improvável possa ser, em linhas gerais, simplesmente por seu "valor heurístico superior".

A missão das ciências descritivas é descrever. Os profissionais dessas ciências sabem que o mundo está cheio de maravilhas, que fazem com que todos os projetos, teorias e outras produções humanas pareçam meras trapalhadas infantis. Isso tende a impelir, na maioria dos casos, a uma atitude de humildade científica. Eles não estão interessados em suas disciplinas pela idéia cartesiana de se tornarem "senhores e possuidores da natureza".[10] Uma descrição fiel, no entanto, não deve ser apenas exata, mas também *apreensível* pela mente humana, e montes infindáveis de fatos e acontecimentos não podem ser apreendidos; então surge uma necessidade incontornável de classificações, generalizações, explicações — em outras palavras, de teorias que ofereçam alguma idéia de como os fatos podem "se articular". Tais teorias nunca poderão ser "cientificamente comprovadas" como verdadeiras. Nas ciências descritivas, quanto mais abrangente a teoria, mais a sua aceitação se caracteriza como um ato de fé.

As teorias abrangentes nas ciências descritivas podem ser divididas em dois grupos: aquelas que vêem *inteligibilidade ou significado* naquilo que descrevem, e aquelas que não vêem nada além de

---

8 Ibid.
9 Karl Stern, *The Flight from Woman*. Nova York, 1965, cap. 5.
10 René Descartes, *Discourse of Method*, parte VI.

acaso e necessidade. É claro que nenhum dos casos pode ser "visto", ou seja, experimentado sensorialmente pelo homem. No quarto campo do saber existe apenas observação de movimentos e outros tipos de alterações materiais; significado ou propósito, inteligibilidade ou acaso, liberdade ou necessidade, assim como vida, consciência e autoconsciência, não podem ser observados de maneira sensorial. Apenas "sinais" podem ser identificados e observados; e o observador tem de escolher o grau de significação que deseja atribuir a eles. Interpretá-los como sinais do acaso e da necessidade é tão "não-científico" quanto interpretá-los como sinais da inteligência supra-humana; um ato de fé, tanto no primeiro caso como no segundo. Isso não significa que todas as interpretações em escala vertical, representando graus de significação ou níveis do ser, sejam igualmente verdadeiras ou falsas; significa simplesmente que a sua veracidade ou inveracidade não está na prova científica, mas no juízo correto, uma força da mente humana que transcende a lógica do mesmo modo que o programador extrapola o computador.

II

As distinções que estamos discutindo adquirem verdadeira importância histórica e mundial quando lembramos qual é, provavelmente, o maior ensinamento da era moderna: a doutrina evolucionista. É claro que essa doutrina não pode ser categorizada entre as ciências instrucionais; ela pertence às ciências descritivas. A questão, portanto, é: "O que ela descreve?".

"A evolução, na biologia", responde Julian Huxley, "é um termo vago e abrangente adotado para ocultar toda e qualquer mudança ocorrida na constituição de unidades sistemáticas de animais e vegetais".[11] Que houve mudanças na constituição de espécies animais e vegetais é algo já amplamente comprovado pelos fósseis encontrados na crosta terrestre; com o auxílio da datação radioativa, elas foram colocadas em seqüência histórica seguindo alto grau de precisão científica. A evolução, como uma generalização inserida na ciência

---

11 Julian Huxley, *Evolution, the Modern Synthesis*. Londres, 1942, cap. 2, seção 7.

descritiva das mudanças biológicas, pode, por essa e outras razões, ser estabelecida como um fato além de quaisquer dúvidas.

A doutrina evolucionista, todavia, é outro assunto. Ela não se satisfaz em limitar-se a uma descrição sistemática da mudança biológica, mas pretende prová-la e explicá-la de maneira semelhante a como a prova e a explicação são oferecidas nas ciências instrucionais. Eis um erro filosófico com as mais desastrosas conseqüências.

"Darwin", dizem-nos, "fez duas coisas: demonstrou que a evolução de fato desmentia certos mitos bíblicos sobre a criação, e que sua causa, a seleção natural, era involuntária, sem qualquer espaço para projetos ou desígnios divinos".[12] Deveria ser óbvio a qualquer um capaz de pensar filosoficamente que tal observação científica não poderia nunca fazer essas "duas coisas". "Criação", "desígnio divino" e "projeto divino" estão totalmente fora da observação científica, e nem deveriam ser mencionados. Qualquer criador de animais ou plantas sabe, sem sombra de dúvida, que a seleção, inclusive a "seleção natural", gera mudanças; é, portanto, cientificamente correto dizer que "foi *provado* que a seleção natural é o agente da mudança evolucionária"? — podemos prová-lo, de fato, ao fazê-lo. Mas é totalmente ilegítimo declarar que a descoberta desse mecanismo — a seleção natural — prove que a causa da evolução "era involuntária, sem qualquer espaço para projetos ou desígnios divinos". Pode-se provar que pessoas pegam dinheiro que encontram nas calçadas; mas ninguém ousaria considerar esse fato suficiente para assumir que os rendimentos de todos são adquiridos dessa maneira.

A doutrina do evolucionismo é geralmente apresentada de uma maneira que trai e ofende todos os princípios do caráter científico. Ela começa com a explicação das mudanças nos seres vivos; mas, sem alarde, por assim dizer, repentinamente, começa a explicar não só o desenvolvimento da consciência, da autoconsciência, da linguagem e das instituições sociais, mas também da própria origem da vida. Especulação e imaginação correm soltas, qualquer coisa serve para explicar tudo. "A evolução", dizem-nos, "é aceita por todos os biólogos, e a seleção natural é reconhecida como sua causa"...

---

12 "Evolução", em *The New Encyclopaedia Britannica*, 1975, vol. VII, pp. 23 e 17.

Como a origem da vida é descrita como "o maior passo da evolução",[13] coube-nos acreditar que a matéria inanimada é um participante imperioso da seleção natural. Para a doutrina do evolucionismo, qualquer possibilidade, não importa o quão remota, é perfeitamente aceitável como evidência científica de que isso realmente aconteceu:

> Quando uma amostra atmosférica de hidrogênio, água, vapor, amônia e metano é submetida a descargas elétricas e radiação ultravioleta, grande número de compostos orgânicos [...] são gerados por síntese automática. Isso prova que uma síntese biológica de complexos compostos foi possível.[14]

Logo, presume-se que devamos acreditar que os seres vivos surgiram repentinamente a partir do puro acaso, e, ao surgirem, foram capazes de se manter vivos em meio ao caos geral:

> Não é nada irracional supor que a vida surgiu de uma "sopa" aguada de compostos orgânicos pré-biológicos, e que os organismos vivos vieram depois, quando cercaram porções desses compostos com membranas, transformando-os em "células". Este é considerado o marco inicial da evolução orgânica (darwiniana).[15]

Podemos vê-lo claramente, não é mesmo? — compostos orgânicos reunindo-se e cercando-se de membranas (nada poderia ser mais simples para esses sagazes compostos!), e *voilà*! Eis a célula, e, uma vez criada a célula, nada poderá impedir o surgimento de Shakespeare, ainda que, é claro, isso leve certo tempo. Não há, portanto, qualquer necessidade de falar em milagres — ou de admitir qualquer falta de conhecimento. É um dos grandes paradoxos de nossa época que pessoas que declaram seu honroso título de "cientistas" ousem propor tais especulações negligentes e sem fundamento como contribuições ao conhecimento científico — e que ainda se safem com isso!

13 Ibid.
14 Ibid.
15 Ibid.

Dr. Karl Stern, psiquiatra de tino excelente, comentou o seguinte:

> Se apresentamos, como argumento, a teoria da evolução em uma formulação científica, devemos dizer algo como: "Em certo momento a temperatura da Terra era tal que favoreceu a união dos átomos de carbono e oxigênio com a combinação nitrogênio-hidrogênio, e desses eventos ao acaso, entre grandes quantidades de moléculas, surgiram aquelas que são as mais estruturadas favoravelmente para o surgimento da vida, e, a partir desse ponto continuaram por longos períodos de tempo, e através dos processos de seleção natural nasceu um ser capaz de escolher o amor em vez do ódio, a justiça em vez da injustiça, de escrever poesia como Dante, de compor como Mozart e desenhar como Leonardo". É claro que tal visão da cosmogênese é uma visão insana. E não a chamo de insana como forma de expressão ordinária, mas em seu sentido técnico de psicopatia. Tal visão, de fato, tem muito em comum com certos aspectos do pensamento esquizofrênico.[16]

No entanto, perdura a noção de que esse tipo de pensamento é apresentado como uma ciência objetiva não apenas pelos biólogos, mas por todos, ansiosos por descobrir a verdade sobre a origem, o significado e o propósito da existência humana na Terra, e praticamente todas as crianças ao redor de todo o mundo são expostas à doutrinação segundo as linhas expostas.[17]

É tarefa da ciência observar e registrar o que foi observado. Não é útil, para ela, postular a existência de agentes causadores, como o "Criador", "inteligências" ou "desígnios", que estão fora de todas as possibilidades de observação direta. "Vamos ver até que ponto conseguimos explicar fenômenos por causas observáveis" é um princípio metodológico altamente sensato e, com efeito, bastante frutífero.

---

16 Stern, op. cit., cap. 12.

17 O *Times* registra, em 24 de janeiro de 1977: "Sr. John Watson, diretor do departamento de ensino religioso da Rickmansworth School, que foi demitido por ensinar a visão do Gênesis a respeito da criação em vez da visão evolucionária selecionada pelo plano de estudos, pretende [tomar medidas legais] [...]. Sr. Watson [...] foi missionário na Índia durante dezesseis anos e é autor de dois livros que defendem a teoria do Gênesis da criação. Um "julgamento do macaco ao contrário", para demonstrar que todas as *fés* tendem a ser intolerantes!

O evolucionismo, ao contrário, transforma a metodologia em fé e exclui, *ex hypothesi*, a possibilidade de existência de todos os graus mais altos de significação. Toda a natureza — o que obviamente inclui a humanidade — é considerada um produto do acaso, da necessidade e de nada mais; não há nenhum sentido, propósito ou inteligência nisso, um "conto narrado por um idiota, sem nenhum significado". Esta é "a fé", e todas as observações contraditórias devem ser ignoradas ou interpretadas de maneira que "a fé" se sustente.

O evolucionismo, como apresentado comumente, não está baseado na ciência. Ele pode ser descrito como uma religião degradada, cujos sacerdotes sequer acreditam no que proclamam. A despeito da descrença amplamente disseminada, a propaganda doutrinária que insiste que o conhecimento científico da evolução não deixa nenhum espaço para a fé mais elevada permanece em voga. Os argumentos contrários são simplesmente ignorados. O artigo "Evolução" na nova *Encyclopaedia Brittanica* (1975) se encerra com um texto intitulado "A aceitação da evolução", declarando que "objeções à evolução vêm de pontos de vista teológicos e políticos".[18] Quem ousaria suspeitar, lendo-o, que as objeções mais severas vieram de diversos biólogos e outros cientistas de credenciais inquestionáveis? É evidente que se considera insensato mencioná-los, e livros como *The Transformist Illusion*,[19] de Douglas Dewar, que oferece uma argumentação devastadora contra o evolucionismo em níveis puramente científicos, não são considerados adequados a entrar na lista bibliográfica sobre o assunto. Evolucionismo não é ciência, é ficção científica, e até mesmo um tipo de embuste. É uma farsa que deu absurdamente certo e aprisionou o homem moderno no que parece um conflito inconciliável entre "ciência" e "religião". Ele destruiu todas as crenças que alçam o homem para o alto e pôs no lugar uma crença que põe a humanidade lá embaixo. *Nil admirari*. Acaso e necessidade e o mecanismo utilitário da seleção natural podem gerar curiosidades, improbabilidades e atrocidades, mas nada que possa ser *admirado* como uma conquista — assim como ganhar na loteria não pode gerar admiração.

18 "Evolução", op. cit.
19 Douglas Dewar, *The Transformist Illusion*. Murfreesboro, Tennessee, 1957.

Não há nada "superior" ou "inferior"; tudo é mais do mesmo, ainda que algumas coisas sejam mais complexas que outras — apenas por acaso. O evolucionismo, com a intenção de explicar tudo e todos exclusivamente a partir da seleção natural pela adaptação e sobrevivência, é o produto mais extremo do utilitarismo materialista do século XIX. A inabilidade do pensamento do século XX em livrar-se dessa impostura é um erro que pode causar o colapso da civilização ocidental. Isso porque é impossível, para qualquer civilização, sobreviver sem uma fé nos propósitos e valores que transcendem o utilitarismo do conforto e da sobrevivência — em outras palavras, sem uma religião.

Martin Lings observa:

> Pode haver certa dúvida de que, no mundo moderno, muitos casos de abandono da fé religiosa possam ser rastreados até a teoria da evolução como sua causa imediata acima de qualquer outro fator. É verdade, por incrível que pareça, que muitas pessoas ainda conseguem viver as suas vidas com uma combinação precária e insossa de religião e evolucionismo. Porém, aos mais inclinados à lógica, não há outra opção senão escolher entre ambos, ou seja, entre a doutrina da queda do homem e a "doutrina" de sua ascensão, rejeitando tudo o que for do lado preterido [...].
>
> Milhões de contemporâneos nossos optaram pelo evolucionismo com base no argumento de que a evolução é "cientificamente comprovada", como muitos aprenderam na escola. O abismo entre essas pessoas e a religião ampliou-se ainda mais graças ao fato de que pessoas religiosas, a menos que sejam cientistas, são inaptas a fazer a ponte entre elas e os outros a partir das premissas certas, que devem estar no campo científico.[20]

Se não estiver no "campo científico", será abafado e "reduzido ao silêncio por toda espécie de jargão científico". A verdade, entretanto, é que a premissa *não deve* estar no plano científico; ela deve ser *filosófica*. Isso pode ser resumido assim: a ciência descritiva torna-se não-científica e ilegítima quando favorece teorias explicativas abrangentes que não podem ser verificadas e nem desmentidas através de experimentos. Tais teorias não são "ciência", mas "fé".

---

20 Martin Lings, em *Studies in Comparative Religion* (publicação trimestral da Tomorrow Publications Ltd., Bedfond, Middlesex, 1970), vol. IV, n. 1, p. 59.

III

O que se pode dizer, nesse estágio de nossa exposição, é que não há possibilidade de deduzir uma fé *válida* a partir do estudo do quarto campo do saber, que nada oferece além da *observação das aparências*.

Mesmo assim, pode-se dizer que, quanto mais exata, meticulosa, cuidadosa e imaginativa seja a observação das aparências — como à que os melhores cientistas da atualidade se dedicam —, quantidades cada vez maiores produz de evidências que desmentem o utilitarismo materialista do século XIX. Este livro não irá detalhar essas descobertas; posso mencionar, apenas, as conclusões a que chegou Dr. Wilder Penfield, que foram sustentadas, de modo curioso, pelas pesquisas de Harold Saxton Burr, professor de anatomia (agora emérito) da Faculdade de Medicina da Universidade Yale. Sua "aventura na ciência" começou em 1935 e durou quarenta anos: uma busca pelo misterioso fator que organiza a matéria inanimada e faz dela um ser com vida, e depois o mantém assim. As moléculas e células do corpo humano são constantemente desintegradas e reconstruídas com novo material.

> Toda proteína corporal, por exemplo, é "trocada" a cada seis meses e, em alguns órgãos, como no fígado, a proteína é renovada com mais freqüência. Quando encontramos um amigo que não vemos há seis meses, não há uma única molécula em seu rosto que estivesse ali da última vez que o vimos.[21]

Professor Burr e seus colaboradores descobriram

> que os homens — na verdade, todas as formas — são ordenados e controlados por campos eletrodinâmicos que podem ser medidos e mapeados com precisão [...].
>
> Embora inconcebivelmente complicados, os "campos da vida" são da mesma natureza que os campos mais simples conhecidos pela física moderna e obedece às mesmas leis. Como os campos da física, são parte da organização do universo e são influenciados pelas vastas forças do espaço. Também assim como os campos da física, eles têm organizado e conduzido qualidades que foram reveladas através de milhares de experimentos.

---

21 Harold Saxton Burr, *Blueprint for Immortality: The Electric Patterns of Life*. Londres, 1972.

> Organização e condução, o exato oposto de acaso, sugere um propósito. Assim, os campos da vida revelam evidências puramente eletrônicas, instrumentais de que o homem não é um acidente. Ao contrário, é parte integrante do cosmos, incorporado em seus campos todo-poderosos e sujeito a suas leis inflexíveis, e participante do destino e do propósito do universo.[22]

A idéia de que as maravilhas da natureza viva nada são além de química complexa, evoluída por meio da seleção natural, é assim efetivamente descartada, ainda que o poder organizador dos campos permaneça um mistério. A deposição da química pelo professor Burr e, portanto, pela bioquímica, com toda a mitologia do DNA de moléculas tornando-se sistemas de informação, é certamente um grande passo na direção correta. "Para ser exato", diz o professor Burr,

> a química tem enorme importância, pois é o combustível que faz o carro andar, mas a química de um sistema vivo não determina as propriedades funcionais desse sistema vivo assim como a alteração do combustível não faz um Ford virar um Rolls-Royce. A química fornece energia, mas os fenômenos elétricos do campo eletrodinâmico determinam a direção em que a energia corre dentro do sistema. Eles são, portanto, de importância primordial na compreensão do crescimento e desenvolvimento de todas as coisas vivas.[23]

É bastante significativo que, à medida que a ciência da observação se torna mais refinada e exata, as imprudentes doutrinas utilitário-materialistas do século XIX são destruídas uma a uma, a despeito do fato de que a maioria dos cientistas insistem em limitar seu trabalho ao quarto campo do saber, com o que, como demonstramos anteriormente, excluem categoricamente todas as evidências de forças derivadas dos mais elevados níveis do ser e atêm-se aos aspectos mortos do universo. Essa autolimitação metodológica faz sentido — faz muito sentido — para as ciências instrucionais, pois os poderes superiores — a vida, a consciência e a autoconsciência — estão além da "instrução": elas *dão* as instruções! Mas isso não faz nenhum

---

22 Ibid.
23 Ibid.

sentido para as ciências descritivas: qual é o valor de uma descrição se ela omite os aspectos e características mais interessantes do objeto a ser descrito? Hoje, felizmente, muitos cientistas, como o zoólogo Adolf Portmann e o botânico Heinrich Zoller (para citar dois dos que me têm ajudado um bocado), ambos da Universidade da Basiléia, têm a coragem de quebrar os grilhões construídos pelos cartesianos modernos e de nos apresentar o reino, o poder e a glória de um universo misteriosamente significativo.

Essa é a função das ciências descritivas. Se não fosse, por que nos ocuparíamos delas? Os cartesianos modernos, empenhados em se tornarem "senhores e possuidores da natureza", podem responder, com F. S. C. Northrop, que a descrição só vale se levar à ação, ou seja, uma instrução que ensine a obter resultados, e que as ciências descritivas, portanto, não são nada mais que ciências instrucionais em estágios iniciais de imaturidade. Se essa linha de argumentação fosse inteiramente aceita — como tende a ser cada vez mais desde Descartes — o retrato científico do mundo seria necessariamente o retrato da desolação e do horror, e com a civilização aconteceria o mesmo: o fim.

IV

Os quatro campos do saber podem ser claramente diferenciados; o saber em si, contudo, é uma unidade. A principal intenção de apresentar os quatro campos separadamente é fazer a unidade aparecer em sua plenitude. Posso dar alguns exemplos de o que essa análise nos ajuda a compreender:

1. A unidade do saber se desfaz quando um ou mais dos quatro campo do saber permanece bruto, e também quando um campo é desenvolvido através dos instrumentos e métodos apropriados apenas a um outro campo.

2. Para obter clareza, é necessário relacionar os quatro campos do saber com os quatro níveis do ser. Já falamos brevemente sobre isso — por exemplo, que pouco pode aprender sobre a natureza humana aquele que restringe seus estudos ao quarto campo do saber, o campo das aparências. De maneira similar, pouquíssimo ou nada pode ser aprendido sobre o reino mineral por aquele que estuda as suas próprias experiências internas, exceto se certas sensibilidades foram desenvolvidas, como no caso de pessoas como Lorber, Cayce, Therese Neumann e outras.

3. As ciências instrucionais fazem bem em restringir sua atenção exclusivamente ao quarto campo, já que é apenas nesse campo das aparências que se pode obter a precisão matemática. Por outro lado, as ciências descritivas traem a sua vocação quando imitam as ciências instrucionais e limitam-se à observação das aparências. Se não podem acessar o *significado* e o *propósito*, ou seja, idéias que derivam apenas da experiência interna (campos um e dois), elas se tornam estéreis e quase inúteis para a humanidade — a não ser como produtoras de "inventários", que dificilmente recebem o nome de ciência.

4. O autoconhecimento, tão universalmente louvado como o mais valioso, torna-se menos que inútil se for baseado apenas no estudo do primeiro campo, o da experiência interna; ele deve estar equilibrado por um igualmente profundo estudo do terceiro campo: então aprendemos a nos conhecer a nós mesmos da mesma maneira que os outros nos vêem. Esse ponto também é bastante negligenciado devido à falha em distinguir o primeiro do terceiro campo.

5. Finalmente, o conhecimento social, que é o conhecimento necessário para que se estabeleçam relações harmoniosas com outras pessoas: não temos acesso direto ao segundo campo — as experiências interiores dos outros seres. Obter esse acesso indireto é uma das mais importantes missões do homem, enquanto ser social. Pode-se obter esse acesso indireto apenas por meio do autoconhecimento, o que demonstra que é um

grande equívoco acusar o homem que se dedica ao autoconhecimento de "virar as costas para o mundo". O contrário seria mais próximo da verdade: o homem que falha em buscar o autoconhecimento é e sempre será um perigo para a sociedade, pois tenderá a não entender nada do que as outras pessoas dizem ou fazem e permanecerá alegremente inconsciente de muitas coisas que ele mesmo faz.

CAPÍTULO 10

Dois tipos de problema

I

Primeiro, lidamos com "o mundo" — seus quatro níveis de ser; em seguida, com "o homem" — os instrumentos por meio dos quais ele conhece o mundo: até que ponto são adequados para esse encontro? Então, em terceiro lugar, lidamos com o aprendizado do mundo e de si mesmo — os quatro campos do saber. Ainda falta, para nós, refletir sobre o que significa viver nesse mundo.

Viver significa *lutar*, combater e permanecer de pé diante de todo tipo de circunstâncias, muitas delas difíceis. Circunstâncias difíceis apresentam problemas, e pode-se dizer, talvez, que viver seja, sobretudo, resolver problemas.

Problemas não resolvidos tendem a causar certo tipo de angústia existencial. Podemos questionar se isso sempre foi assim, mas certamente tem sido assim no mundo moderno, e parte da batalha atual contra a angústia deriva da abordagem cartesiana: "Lide apenas com idéias que sejam evidentes, exatas e que estejam além de qualquer dúvida racional; portanto: confie na geometria, na matemática, na quantificação, na medida e na precisa observação". Esse é o caminho, o único caminho (é o que nos dizem) para resolver os nossos problemas; é essa a estrada, a única estrada, rumo ao progresso; se simplesmente abandonarmos todo o sentimento e outras irracionalidades, todos os problemas poderão (e irão!) ser resolvidos. Vivemos na era do "reino da quantidade" — que, a propósito, o título de um livro denso e importante de René Guénon,[1] um dos poucos metafísicos notáveis de nossos tempos. A quantificação e a análise do custo-benefício são tidas como as respostas para a maioria dos nossos problemas — se não para todos eles —, embora estejamos lidando com um tipo mais complexo de seres, as pessoas, ou com um tipo mais complexo de sistema, as sociedades, e embora seja necessário certo tempo para reunir e analisar todos os dados. A nossa civilização é especializada apenas em resolver problemas; há mais cientistas e afins no mundo atualmente do que houve em todas as gerações anteriores juntas — e eles não estão perdendo o seu tempo na contemplação das maravilhas do universo ou tentando adquirir autoconhecimento: estão *resolvendo problemas*. (Posso imaginar alguém levantando a mão e perguntando: "Se é assim, não ficaremos sem problemas?"; mas seria fácil tranqüilizá-lo: hoje em dia nós temos mais e maiores problemas do que qualquer outra geração poderia suportar, até mesmo problemas de sobrevivência).

Essa situação extraordinária talvez nos leve a questionar a natureza dos "problemas". Sabemos que há problemas resolvidos e problemas não resolvidos. Os primeiros, já sabemos, não representam um problema; mas, em relação aos últimos: existem problemas que, não só não foram resolvidos, mas são "irresolvíveis"?

---

[1] René Guenon, *The Reign of Quantity and the Signs of the Times*, tradução de Lord Northbourne. Londres, 1953.

Primeiro, observemos os problemas resolvidos. Tomemos como exemplo o problema de um projeto: como fazer um meio de transporte de duas rodas. Foram oferecidas muitas soluções que, pouco a pouco e cada vez mais, se combinaram, até que, enfim, um projeto se destacou como sendo "a resposta" — uma bicicleta, resposta que se revelou incrivelmente permanente ao longo do tempo. Por que essa resposta é tão permanente? Simplesmente porque ela está de acordo com as leis do universo — no nível da matéria inanimada.

Proponho chamarmos os problemas dessa natureza de *problemas convergentes*. Quanto mais inteligentemente você os estuda — seja lá quem for você —, mais as respostas convergem. Talvez possam ser classificados como "problemas convergentes solucionados" ou "problemas convergentes ainda sem solução". A palavra "ainda" é importante, pois não há nenhuma razão, a princípio, pela qual eles não poderiam ser resolvidos em algum momento. Tudo leva tempo, e simplesmente ainda não chegou a hora de resolvê-los. É preciso mais tempo, mais dinheiro para pesquisas e desenvolvimento e, talvez, mais talento.

Porém, também pode acontecer de várias pessoas altamente capazes decidirem resolver um problema e chegarem a respostas que se contradizem entre si. Não há acordo. Ao contrário: quanto mais clara e logicamente desenvolvidas, mais elas *divergem*, a ponto de algumas parecerem o extremo oposto das outras. Por exemplo: a vida nos apresenta um problema muito grande — não um problema técnico como o do meio de transporte de duas rodas, mas o problema humano de como educar os nossos filhos. Não podemos fugir desse problema; temos de enfrentá-lo, e pedimos conselhos a um número de pessoas igualmente inteligentes. Algumas delas, baseadas em uma claríssima intuição, nos dizem: "A educação é o processo através do qual a cultura que existe é transmitida para a próxima geração. Aqueles que têm (ou que se supõe que tenham) conhecimento e experiência *ensinam*, e aqueles a quem ainda falta conhecimento e experiência *aprendem*. Isso é evidente, e implica que deve haver um contexto de autoridade e disciplina".

Nada pode ser mais simples, mais verdadeiro, mais lógico e direto. Quando a questão é transmitir conhecimento dos que sabem aos que aprendem, deve haver disciplina entre os que aprendem para receber o que está sendo oferecido. Em outras palavras, a educação exige que se estabeleça a autoridade dos professores e disciplina e obediência aos pupilos.

Porém, outro grupo dos nossos conselheiros, analisando o problema com extrema cautela, diz: "Educação nada mais é senão proporcionar *facilidades*. O educador é como um bom jardineiro que se ocupa em disponibilizar um solo bom, saudável e fértil no qual a plantinha possa criar raízes firmes e extrair os nutrientes de que necessita. A planta irá se desenvolver de acordo com as suas próprias leis de existência, que são muito mais sutis do que qualquer ser humano possa penetrar, e irá se desenvolver melhor quando tiver a maior liberdade possível para escolher exatamente os nutrientes de que precisa". Em outras palavras, de acordo com o segundo grupo a educação não exige disciplina e obediência, mas liberdade — a maior liberdade possível.

Se o nosso primeiro grupo de conselheiros estiver correto, disciplina e obediência são "coisas boas"; e, se é possível argumentar com perfeita lógica que algo é uma "coisa boa", mais dessa "coisa boa" será algo ainda melhor; e esse raciocínio lógico nos faz concluir que perfeitas disciplina e obediência seriam a perfeição... e as escolas tornar-se-iam uma prisão.

Nosso segundo grupo de conselheiros, por outro lado, argumenta que na educação a liberdade é uma "coisa boa". Se é assim, mais liberdade será algo ainda melhor, e a liberdade perfeita resultaria na educação perfeita. A escola, então, se tornaria um caos, ou uma espécie de manicômio.

Liberdade e disciplina-obediência — eis um perfeito par de opostos. Nenhum acordo é possível. Em situações reais, é um ou o outro. Ou "faça o que quiser", ou "faça o que estou mandando".

A lógica não nos ajuda, pois insiste que, se algo é verdadeiro, seu oposto não pode ser verdadeiro. Ela também determina que, se algo é bom, esse algo em maior quantidade será ainda melhor. Temos aqui um problema muito comum e muito simples, que chamo de *problema divergente*, que não se submete à lógica estrita e linear. Isso demonstra que a vida é maior que a lógica.

A pergunta "qual é o melhor método de educação?", portanto, representa um problema divergente por excelência. As respostas tendem a divergir; quanto mais lógicas e consistentes são, maior é a divergência. É "liberdade" *versus* "disciplina e obediência". Não há solução — e, ainda assim, alguns educadores são melhores que outros. Como conseguem? Uma maneira de descobrir é perguntar a eles. Se expusermos a eles as nossas dificuldades filosóficas, eles provavelmente darão sinais de irritação em relação a essa abordagem intelectual. "Veja só", diriam, "tudo isso é muito complicado para mim. A questão é: você deve *amar* esses pequeninos!". Amor, empatia, *participação mística*, compreensão, compaixão — essas são habilidades de uma ordem superior àquelas exigidas para o estabelecimento de qualquer política de disciplina ou liberdade. Despertar essas habilidades ou forças superiores, tê-las disponíveis não apenas como impulsos ocasionais, mas permanentemente, é algo que exige um nível elevado de autoconsciência, e isso faz um excelente educador.

A educação é um exemplo clássico de problema divergente, da mesma forma que a política, onde o par de opostos mais comum é "liberdade" e "igualdade", e que significa, na verdade, liberdade *versus* igualdade. Pois, se as questões são deixadas livres, ou seja, relegadas a si mesmas, os fortes irão prosperar e os fracos perecerão, e então não haverá qualquer vestígio de igualdade. O reforço da igualdade, por outro lado, exige a restrição da liberdade — *a menos que haja a intervenção de algo de um nível mais elevado*. Não sei quem cunhou o lema da Revolução Francesa;[2] mas deve ter sido alguém de inteligência rara. Ao par de opostos "liberté" *versus* "egalité", inconciliáveis na lógica comum, ele acrescentou uma terceira força — "fraternité", fraternidade —, que vem de um nível mais elevado. E como reconhecemos que vem de um nível superior a "liberté" ou "egalité"? Estes podem ser instituídos por ações legislativas impostas pela força, mas "fraternité" é uma qualidade humana que está além do alcance das instituições, além do nível da manipulação. Ela pode ser conquistada, e às vezes é mesmo conquistada, mas apenas por pessoas motivadas

---

[2] Algumas pessoas dizem que foi Louis-Claude de Saint Martin (1743–1803) que assinou suas obras como *Le Philosophe inconnu* — o filósofo desconhecido.

por suas próprias forças e habilidades mais elevadas, ou seja, tornando-se melhores. "Como fazer as pessoas se tornarem melhores?". Essa questão tem sido constantemente repetida, e isso só mostra como o ponto essencial foi totalmente perdido. A idéia de *fazer* as pessoas melhores pertence ao nível da manipulação, o mesmo nível em que existem opostos e em que sua conciliação é impossível.

No momento em que reconhecemos que há dois tipos de problema com os quais temos de lidar ao longo de nossas vidas — problemas "convergentes" e "divergentes" — algumas questões interessantes surgem em nossas mentes:

Como reconhecer se o problema é de um tipo ou do outro?
O que determina essa diferença?
O que determina a solução do problema em cada um dos dois tipos?
Existe "progresso"? As resoluções podem ser acumuladas?

A tentativa de lidar com questões desse tipo nos conduzirá, sem dúvida, a diversas investigações mais complexas.

Comecemos, pois, com a questão do reconhecimento. No caso de um problema convergente, como já foi mencionado, as respostas sugeridas para sua resolução tendem a convergir, a se tornar cada vez mais exatas. Elas podem ser concluídas e escritas na forma de instruções. Uma vez que se encontra a solução, o problema deixa de ocupar a nossa atenção: um problema resolvido é um caso encerrado. Aplicar as soluções não requer nenhuma habilidade ou capacidade elevada — acaba-se o desafio, acaba-se o problema. Quem quer que faça uso da solução pode permanecer relativamente passivo; ele é um beneficiário, que recebe algo de graça, por assim dizer. Problemas convergentes estão relacionados aos aspectos mortos do universo, onde a manipulação pode atuar sem obstáculos ou impedimentos e onde o homem pode fazer-se "senhor e possuidor", pois as forças superiores e sutis, como classificamos a vida, a consciência e a autoconsciência, não entram no meio para complicar o assunto. Se essas forças superiores intervirem de forma significativa, o problema deixa de ser convergente. Podemos dizer, portanto, que a convergência pode ser esperada de qualquer problema que não envolva vida, consciência e autoconsciência, ou seja, na física, química, astronomia, de assuntos abstratos como geometria e matemática ou jogos como o xadrez.

Quando estamos lidando com problemas que envolvem os níveis superiores do ser devemos esperar *divergência*, pois aí entra, mesmo que modestamente, o elemento da liberdade e da experiência interior. De outro ponto de vista, vemos o par mais universal de opostos, o retrato exato da própria vida: o crescimento e a decadência. O crescimento prospera na liberdade (quero dizer, o crescimento saudável — o crescimento patológico é uma forma de decadência), enquanto que as forças da decadência e dissolução só podem ser controladas por algum tipo de ordem. Esses pares básicos de opostos —

> crescimento *versus* decadência
> e liberdade *versus* ordem —

são encontrados onde quer que haja vida, consciência e autoconsciência. Como vimos, são os pares de opostos que fazem um problema divergente, enquanto que a ausência desses pares de opostos (desse caráter básico) garante a convergência.

A metodologia de resolução de problemas, como pode-se facilmente observar, é o que chamamos de "abordagem laboratorial". Ela consiste em eliminar todos os fatores que não podem ser rigorosamente controlados ou, ao menos, mensurados com precisão e "reconhecidos". O que resta não é uma amostra da vida real e de suas imprevisibilidades, mas um sistema isolado que apresenta problemas convergentes e, portanto, *solucionáveis*. A solução de um problema convergente, entretanto, prova algo sobre o sistema isolado, mas nada sobre sistemas fora e além dele.

Já foi dito que resolver um problema é eliminá-lo. Não há nada de errado em "matar" um problema convergente, pois ele tem relação com aquilo que sobra quando a vida, a consciência e a autoconsciência são eliminadas. Mas será que os problemas divergentes podem — ou devem — ser eliminados? (A expressão "solução final" ainda não soa nada bem aos ouvidos da minha geração).

Problemas divergentes não podem ser eliminados; eles não podem ser resolvidos como se bastasse aplicar-lhes as "fórmulas corretas".

No entanto, eles podem ser superados. Um par de opostos — como liberdade e ordem — são opostos no nível da vida comum, mas eles deixam de ser opostos no nível superior, o nível realmente *humano*, em que a autoconsciência exerce seu devido papel. É nesse momento que tais forças superiores, como o amor e a compaixão, a compreensão e a empatia, tornam-se disponíveis para nós não simplesmente como impulsos ocasionais, mas como recursos regulares e confiáveis. Os opostos deixam de ser opostos; eles descansam juntos pacificamente, como o leão e o cordeiro no estudo de São Jerônimo (que, no famoso quadro de Dürer, representa o nível superior).

Como é possível que os opostos deixem de ser opostos quando uma "força superior" intervém? Como é que liberdade e igualdade deixam de ser mutuamente antagônicas e se reconciliam quando a fraternidade entra em cena? Essas não são questões lógicas, mas *existenciais*. A principal preocupação do existencialismo, como esclarecemos,[3] é que a experiência tem de ser reconhecida como evidência, o que implica que, sem experiência, não há evidência. Que os opostos são transcendidos quando intervêm "forças superiores" — como o amor e a compaixão — não é uma questão a ser discutida em termos lógicos: deve-se experimentá-la na existência atual (por isso "existencialismo"). Imaginemos uma família com dois garotões e duas menininhas: a liberdade reina, e não destrói a igualdade, porque a fraternidade controla a aplicação do poder superior que os meninos possuem.

É importante que nos tornemos totalmente conscientes desses pares de opostos. A nossa mente lógica não gosta deles: eles sempre operam de acordo com o princípio do "e/ou", como um computador. Dessa maneira, em qualquer momento, ela deseja entregar sua lealdade exclusiva a um ou outro lado, e, como essa exclusividade conduz inevitavelmente a uma perda cada vez maior da realidade e da verdade, a mente de repente muda de lado, às vezes sem sequer perceber. Ela oscila como um pêndulo de um oposto a outro e, a cada vez, tem a sensação de ter "mudado de idéia outra vez"; ou então a mente torna-se rígida e sem vida, fixando-se em um lado do par de opostos e sentindo que, enfim, "o problema foi resolvido".

---

3 Cf. Paul Roubiczek, *Existentialism For and Against*. Cambridge, 1964.

DOIS TIPOS DE PROBLEMA

Os pares de opostos, entre os quais "liberdade e ordem" e "crescimento e decadência" são os mais básicos, trazem tensão ao mundo, uma tensão que aguça a sensibilidade do homem e amplia a sua autoconsciência. Nenhuma compreensão efetiva é possível sem que estejamos atentos a esses pares de opostos, que, pode-se dizer, permeiam todas as ações humanas.

Na vida das sociedades há a necessidade de justiça, e também a necessidade de perdão. "Justiça sem misericórdia", diz Tomás de Aquino, "é crueldade; misericórdia sem justiça é a mãe da dissolução moral"[4] — a clara identificação de um problema divergente. A justiça é a negação da misericórdia, e a misericórdia é a negação da justiça. Apenas uma força superior — a sabedoria — pode reconciliar os opostos. O problema não pode ser resolvido; mas a sabedoria pode transcendê-lo. De maneira semelhante, as sociedades precisam de estabilidade *e* mudança; tradição *e* inovação; interesse público *e* interesse privado; planejamento *e laissez-faire*; ordem *e* liberdade; crescimento *e* decadência: em toda parte a saúde das sociedades depende da busca simultânea de atividades e objetivos opostos. A adoção de uma solução final representa uma espécie de sentença de morte da humanidade individual e implica em crueldade, dissolução, ou ambas.

Problemas divergentes ofendem a mente lógica, que deseja remover a tensão com a escolha de um dos dois lados; mas eles desafiam, simulam e aguçam as capacidades humanas superiores, sem as quais o homem não é nada além de um "animal esperto". Ao recusarem aceitar o desacordo dos problemas divergentes, fazem que as habilidades superiores permaneçam adormecidas e definhem e, quando isso acontece, é mais provável que o "animal esperto" provoque a sua própria destruição.

A vida do homem pode, assim, ser vista e compreendida como uma sucessão de problemas divergentes, que surgem inevitavelmente e têm de ser resolvidos de alguma maneira. São refratários à simples razão lógica e discursiva, e constituem, por assim dizer, um aparato de relaxamento e tensão para desenvolver o homem integral, o que significa desenvolver as suas capacidades supralógicas.

---

4 *Comentário ao Evangelho de Mateus*, v. 2.

Todas as culturas tradicionais têm visto a vida como uma escola, e reconhecido, de uma forma ou de outra, como é essencial a força de seus ensinamentos.

II

Cabe, agora, dizer algumas palavras sobre a arte. Hoje em dia, em relação à arte, parece que não há absolutamente nada a ser dito e que qualquer coisa serve. Quem ousaria vaiar qualquer coisa que se afirmasse como "uma arte além de seu tempo"? No entanto, não precisamos ser tão acanhados. Podemos estabelecer parâmetros confiáveis relacionando a arte ao ser humano, ou, por assim dizer, a seus sentimentos, pensamentos e desejos. Se o objetivo primordial da arte é afetar os nossos sentimentos, podemos chamá-la de entretenimento; se é afetar nossos desejos, chamamos de propaganda. Ambos, entretenimento e propaganda, podem ser reconhecidos como um par de opostos, e não é difícil perceber que alguma coisa está faltando. Nenhum grande artista jamais deu as costas ao entretenimento ou à propaganda — tampouco ficou satisfeito em obter apenas os dois, ou um só deles. Seu esforço, invariavelmente, foi comunicar a verdade, o *poder* da verdade, apelando às faculdades intelectuais mais elevadas do homem, que extrapolam a razão. Entretenimento e propaganda, por si, não nos trazem poder, mas, sim, exercem poder sobre nós. Quando eles são transcendidos e postos a serviço da expressão da Verdade, a arte nos ajuda a desenvolver nossas capacidades superiores, e é isso que importa. Se a arte deve ter algum valor real, afirma Ananda K. Coomaraswamy,

> se ela deve nos nutrir e fazer crescer o que temos de melhor, assim como as plantas são nutridas e crescem em solo adequado, é à nossa compreensão, e não aos sentimentos aprazíveis, que deve apelar. De certa maneira, o público está certo: ele sempre quer saber "sobre o que é" uma obra de arte [...]. Digamos a eles a dura verdade: a maioria dessas (grandes) obras de arte fala de Deus, que nunca é mencionado entre a sociedade educada. Admitamos que, se quisermos oferecer uma educação de acordo com a natureza íntima e a eloquência desses trabalhos [as grandes obras de arte], essa educação não seria a

da sensibilidade, mas a da filosofia, no sentido platônico e aristotélico do termo, *o que implica ontologia, teologia e o mapa da vida, além de uma sabedoria aplicada aos assuntos cotidianos.*[5] [Os itálicos são meus]

Todas as grandes obras de arte são "sobre Deus" no sentido de mostrar aos perplexos seres humanos o caminho rumo ao topo da montanha, providenciando um guia para os perplexos. Devemos lembrar de novo um dos maiores exemplos dessas grandes obras de arte, a *Divina Comédia*, de Dante. Dante escreveu para ser lido por homens e mulheres comuns, e não por pessoas que tivessem meios suficientes para se interessar por sentimentos sutis. "A obra", ele explica, "foi concebida não com um fim especulativo, mas com um fim prático [...]; seu propósito é tirar esses seres que vivem em estado de miséria e conduzi-los a um estado de felicidade".[6] O peregrino — o próprio Dante — *nel mezzo del cammin di nostra vita*, isto é, no ápice de suas forças e de seu sucesso, percebe, de repente, que não está no topo, absolutamente, mas que, ao contrário, encontra-se "numa selva escura, tendo perdido a verdadeira estrada".

> Dizer qual era é cousa tão penosa,
> Desta brava espessura a asperidade,
> Que a memória relembra inda cuidosa.
> Na morte há pouco mais de acerbidade

Ele sequer pode lembrar como chegara até ali,

> Tanto o sono os sentidos me tomara,
> Quando hei o bom caminho abandonado.

Ao "se localizar", Dante olha para o alto e vê a montanha,

> Ao alto olhei, e já, de luz banhando,
> Vi-lhe estar às espaldas o planeta,
> Que, certo, em toda parte vai guiando,

---

5 Ananda K. Coomaraswamy, "Why Exhibit Works of Art?", *Christian and Oriental Philosophy of Art*. Nova York, 1956, cap. 1.
6 Citado em Dorothy L. Sayers, *Further Papers on Dante*. Londres, 1957, p. 54.

aquela montanha que ele quisera escalar. Ele tenta uma vez mais; mas descobre que três animais obstruem sua passagem:

> Eis da subida quase ao mesmo instante
> Assoma ágil e rápida pantera
> Tendo a pele por malhas cambiante.
>
> Não se afastava ante mim a fera;
> E em modo tal meu caminhar tolhia,
> Que atrás por vezes eu tornar quisera.

Leve, muito ágil, com o casaco manchado — todas as agradáveis sensações da vida, às quais ele se acostumara a ceder. O pior ainda estava por vir — um leão, assustador em seu orgulho, e uma loba, que

> Com tanta intensa torvação me enleia
> Pelo terror, que o cenho seu movia,
> Que a mente à altura não subir receia.

Dante, contudo, é visto "das alturas" por Beatriz, que quer ajudá-lo. Não pode fazê-lo sozinha, já que ele afundara demasiado para que a religião pudesse alcançá-lo; então ela pede à arte, através de Virgílio, guiá-lo para fora desse "ambiente selvagem". A arte verdadeira é o que está entre a natureza do homem comum e suas potencialidades superiores, e Dante aceita Virgílio:

> "Ó dos poetas lustre, honra, eminência!
> Valham-me o longo estudo, o amor profundo
> Com que em teu livro procurei ciência!
>
> És meu mestre, o modelo sem segundo;
> Unicamente és tu que hás-me ensinado;
> O belo estilo que honra-me o mundo
>
> A fera vês que o passo me há vedado;
> Sábio famoso, acude ao perseguido!
> Tremo no pulso e veias, transtornado!"

Apenas a verdade pode ser aceita como guia, senhora e mestra. Estimar a arte apenas por sua beleza é errar o foco. A verdadeira função da arte é despertar "o amor profundo para buscar ciência", para subir a montanha, ou seja, *aquilo que realmente desejamos fazer, mas nos esquecemos*, e nos fazer voltar à nossa primeira intenção.

Toda a grande literatura lida com problemas divergentes. Ler tal literatura — mesmo a Bíblia — como simples "literatura", como se o seu principal propósito fosse a poesia, a imaginação, a expressão artística, com uma seleção especial de palavras e imagens é fazer, do sublime, algo trivial.

III

Atualmente, muitas pessoas clamam por uma nova base moral da sociedade, uma nova fundação da ética. Quando dizem "nova", parecem ter esquecido que estão lidando com problemas divergentes, que não exigem novas invenções, mas o desenvolvimento das faculdades humanas superiores e sua aplicação. "Uns sobem pelos crimes; outros caem pelas virtudes", afirma Shakespeare em *Medida por medida*, insistindo que não basta estabelecer que a virtude é algo bom e que o pecado é mal (o que de fato são!); o mais importante é se uma pessoa se eleva a suas potencialidades superiores ou cai, afastando-se delas. Normalmente o homem se eleva através da virtude; porém, se a virtude é apenas externa e lhe falta força interior, ela apenas o torna complacente, sem desenvolvê-lo. De forma semelhante, o que é considerado pecado de acordo com os padrões comuns pode mover o homem rumo a importantes processos de desenvolvimento se, depois do impacto inicial, forem despertas as suas capacidades superiores, antes adormecidas. Para citar a tradição oriental, "é a queda do homem que o faz elevar-se", diz o Kularnava Tantra. Toda a sabedoria tradicional, da qual Dante e Shakespeare são notáveis representantes, transcende a lógica comum e calculista e define "o bem" como aquilo que nos torna verdadeiramente humanos através do desenvolvimento de nossas capacidades superiores — que são condicionadas a, e também fazem parte da... autoconsciência. Sem elas não há humanidade, não existe o que nos distingue do reino animal, e a questão sobre o que é "o bem" reduz-se à questão darwiniana de adaptação, sobrevivência e utilitarismo da "maior felicidade em maior número", na qual a felicidade não representa nada além de conforto e excitação.

No entanto, as pessoas não aceitam essas "reduções". Mesmo quando, estando bem-adaptadas, vivendo em total conforto e excitação, elas continuam perguntando: "O que é o 'bem'? O que é a bondade? O que é o mal? O que é o pecado? O que fazer para viver uma vida que valha a pena?".

Em toda a filosofia, não há assunto em estado mais nebuloso que a ética. Qualquer pessoa que peça por um guia de como conduzir a sua vida, e recorra a um professor de ética, não irá receber sequer uma pista concreta, apenas uma torrente de "opiniões". Com pouquíssimas exceções, eles embarcam numa investigação sobre a ética sem qualquer esclarecimento prévio a respeito do propósito da vida humana na Terra. É nitidamente impossível decidir o que é bom ou ruim, certo ou errado, virtuoso ou mau, sem que haja uma idéia de propósito: bom para quê? Perguntar sobre o propósito tem sido considerada "a falácia naturalista": "a virtude é a sua própria recompensa!". Nenhum dos grandes mestres da humanidade teria ficado satisfeito com tal evasiva. Se alguma coisa é considerada boa, mas ninguém pode me dizer *para que* ela é boa, como podem esperar que eu tenha qualquer interesse por ela? Se o nosso guia, nosso mapa da vida, não pode mostrar-nos onde está o bem e como ele pode ser alcançado, de nada vale.

Recapitulemos: a primeira grande verdade que discutimos é a estrutura hierárquica do mundo — os quatro níveis do ser, com novos poderes que são acrescentados ao longo dessa ascensão. No nível humano, podemos perceber claramente que é um caminho ilimitado. Não há limites claros para o que o homem pode fazer; ele parece ser *capax universi*, como costumavam dizer os antigos, e o que uma pessoa tiver feito brilhará, doravante, como uma luz na escuridão da capacidade humana, ainda que ninguém mais seja capaz de fazê-lo novamente. O ser humano, mesmo na total maturidade, não é, obviamente, um produto acabado, ainda que alguns sejam sem dúvida mais "acabados" que outros. Com a maioria das pessoas, a capacidade especificamente humana da autoconsciência permanece, até o fim de suas vidas, como uma semente de capacidade, tão pouco desenvolvida que raramente se torna ativa, e por poucos momentos de cada vez. É precisamente esse o "talento" que, de acordo com os ensinamentos tradicionais, devemos e podemos multiplicar por três, ou até mesmo por dez, e que não devemos, de maneira alguma, abandonar por desejo de segurança.

Temos sido capazes de tocar apenas ligeiramente nas várias "progressões" que percebemos ao contemplar os quatro níveis do ser, do mineral sem vida à pessoa autoconsciente, e daí até "a pessoa" mais perfeita, mais integrada, iluminada e livre que podemos conceber. Através dessas extrapolações nos é possível não só obter uma clara compreensão a respeito de qual era a preocupação de nossos ancestrais quando falavam em Deus, mas também reconhecer *a única* direção de desenvolvimento que daria sentido e significado à nossa vida na Terra.

A segunda grande verdade é a *adaequatio* — que tudo no mundo à nossa volta deve se encaixar, por assim dizer, com algum sentido, habilidade ou força interna a nós mesmos; caso contrário, permanecemos inconscientes de sua existência. Há, portanto, uma estrutura hierárquica de dons dentro de nós; e não surpreende que, quanto mais elevado é o dom, mais difícil é encontrá-lo em uma forma altamente desenvolvida, e maiores são os esforços exigidos para o seu desenvolvimento.

Parte central dessa busca é o refinamento dos quatro campos do saber. A qualidade de nossa compreensão depende decisivamente do distanciamento, da objetividade e do cuidado com os quais nos estudamos a nós mesmos — tanto o que está dentro de nós (primeiro campo) quanto o que somos enquanto fenômeno objetivo aos olhos alheios (terceiro campo). Como desenvolver o autoconhecimento dessa maneira dupla é a principal matéria de todos os ensinamentos religiosos tradicionais, que têm estado em falta no Ocidente pelo menos nos últimos cem anos. É por isso que não podemos confiar uns nos outros; por isso que a maioria das pessoas vive em estado constante de ansiedade; é por isso que, a despeito de todas as nossas tecnologias, a comunicação vem se tornando cada vez mais difícil;

e é por isso que precisamos de um *bem-estar* cada vez mais ordenado para tapar os buracos abertos pelo progressivo desaparecimento das relações sociais espontâneas. Os santos cristãos (e outros) conheciam tão bem a si mesmos que podiam "ver" por dentro de outros seres. A idéia de que São Francisco podia se comunicar com os animais, pássaros e mesmo flores deve, é claro, parecer incrível aos homens modernos, que negligenciaram tanto o autoconhecimento que têm dificuldades de se comunicar até mesmo com as suas próprias esposas.

O "mundo interior", considerando os campos do saber (primeiro e segundo campos), é o mundo da liberdade; o mundo externo (terceiro e quarto campos), por sua vez, é o mundo da necessidade. Todos os sérios problemas de nossas vidas oscilam, por assim dizer, entre esses dois pólos — a liberdade e a necessidade. São problemas divergentes, não têm solução. A nossa ansiedade para resolver problemas provém de nossa enorme falta de autoconhecimento, que criou uma espécie de angústia existencial da qual Kierkegaard é um dos mais precoces e significativos intérpretes. A ansiedade para resolver problemas ocasionou uma concentração total do esforço intelectual no estudo de problemas *convergentes*. Essa limitação voluntária de um intelecto sem limites, bem como o seu confinamento na "arte da solução", é motivo de grande orgulho. Peter B. Medawar diz que "grandes cientistas estudam os problemas mais importantes que pensam poder resolver. No fim das contas, resolver problemas, e não apenas lidar com eles, é sua função profissional".[7] Justo; e isso demonstra claramente, ao mesmo tempo, que "bons cientistas" podem lidar apenas com os aspectos inanimados do universo. Mas os verdadeiros problemas da vida é preciso *enfrentar*. Para repetir a citação de Tomás de Aquino, "o mais tênue conhecimento que pode ser obtido acerca dos mais altos eventos é mais desejável que o conhecimento mais definitivo obtido acerca das coisas inferiores"; e "enfrentar" com a ajuda de um tênue conhecimento é a verdadeira essência da vida, enquanto que resolver problemas — que, para serem solucionáveis, devem ser convergentes — com a ajuda do "conhecimento mais definitivo obtido acerca das coisas inferiores" é apenas mais uma das muitas atividades

---

7 P. B. Medawar, *The Art of Soluble*. Londres, 1967, introdução.

humanas, úteis e louváveis, criadas para poupar trabalho.

Enquanto a mente lógica abomina problemas divergentes e tenta fugir deles, as capacidades superiores do homem aceitam os desafios da vida tal como são oferecidos, sem queixas, cientes de que, quando as coisas são contraditórias, absurdas, difíceis e frustrantes, então — *e só então* — a vida realmente faz sentido: como um mecanismo que nos provoca e quase nos impele a evoluir para os níveis superiores do ser. Trata-se de uma questão de fé, de escolher nosso próprio "grau de interpretação". A nossa mente comum sempre tenta nos persuadir de que não somos nada além de castanhas, por exemplo, e que a nossa perfeita felicidade é nos tornarmos castanhas maiores, mais viçosas, mais brilhantes... que interessam, porém, somente aos roedores. A nossa fé nos traz o conhecimento de algo muito melhor: podemos nos tornar castanheiras.

O que é bom, o que é mau? O que é virtuoso, o que é vil? Tudo isso depende da sua fé. Apoiando-nos nas quatro grandes verdades discutidas neste livro, e estudando as interconexões entre esses quatro pontos em nosso "mapa", não teremos qualquer dificuldade em perceber no que constitui o verdadeiro progresso do ser humano:

- Sua primeira tarefa é aprender com a sociedade e com a "tradição", e descobrir uma felicidade temporária ao receber orientações externas.

- Sua segunda tarefa é incorporar o conhecimento acumulado, filtrá-lo, decantá-lo, ficar com o bom e descartar o ruim; esse processo pode ser chamado de "individuação", e tornar-se independente.

- A terceira tarefa não pode ser cumprida antes que se cumpram as duas primeiras, e para isso ele precisa de toda a ajuda que puder encontrar: é "morrer" para si mesmo, para seus gostos e desgostos, para todas as suas preocupações egoístas. Na medida em que consegue isso, o homem deixa de ser governado por seu ambiente externo e também por si mesmo. Ele obtém a liberdade, ou, pode-se dizer, ele passa a ser guiado por Deus. Se é cristão, isso é exatamente o que ele espera um dia poder dizer.

Se é essa a tripla tarefa que se coloca diante de cada ser humano, podemos dizer que o "bem" é o que me ajuda e ajuda a todos ao longo dessa jornada de libertação. Sou convocado a "amar o próximo como a mim mesmo", mas não posso amá-lo (exceto sensualmente ou sentimentalmente) a menos que tenha amado a mim mesmo o suficiente para embarcar na jornada de desenvolvimento apresentada. Como eu poderia amá-lo e ajudá-lo a ponto de poder dizer, como São Paulo: "Não entendo o que faço; não faço o bem que quero, mas o mal que não quero, esse é que faço"? Para tornar-se capaz de amar e auxiliar o meu próximo como a mim mesmo, sou chamado a "amar a Deus", ou seja, a manter, com firmeza e paciência, a minha mente contraindo e alongando em direção às coisas superiores, aos níveis do ser acima de mim mesmo: ali só haverá "bondade" para mim.

EPÍLOGO

Depois do "despertar" de Dante (na *Divina Comédia*), quando ele se percebe entre as trevas de uma floresta na qual nunca quis estar, sua tentativa de mover-se rumo ao topo da montanha foi em vão; ele antes teve de descer ao Inferno para ser capaz de apreciar, em sua totalidade, a realidade do pecado. Atualmente, as pessoas que conhecem o Inferno de como *as coisas realmente são* no mundo moderno são freqüentemente consideradas "alarmistas", pessimistas, etc. Dorothy Sayers, uma das melhores comentadoras tanto de Dante como da sociedade moderna, tem algo a dizer:

> Que o Inferno seja um retrato da sociedade humana em estado de pecado e corrupção, todos concordam imediatamente. E já que atualmente estamos convencidos, com razão, de que a sociedade segue

um caminho ruim e não está necessariamente evoluindo em direção à perfeição, é suficientemente fácil reconhecer os vários estágios pelos quais a mais profunda degradação é alcançada. Frivolidade; falta de fé; tendência à perda da moralidade, consumo ganancioso, irresponsabilidade financeira e falta de controle do mau-temperamento; o individualismo auto-referencial e obstinado; violência, esterilidade, a falta de reverência à vida e à propriedade, inclusive à própria; a exploração do sexo, a degradação da linguagem pela publicidade e propaganda; a comercialização da religião, a disseminação da superstição e o condicionamento das mentes à histeria massiva, oradores fascinantes de todos os tipos, venalidade e puxa-saquismo nas relações sociais, hipocrisia, desonestidade material, desonestidade intelectual, o fomento da discórdia (classe contra classe, nação contra nação) para se obter o possível dela, a falsificação e a destruição de todos os meios de comunicação; a exploração das mais baixas e estúpidas emoções das massas; traição aos fundamentos do parentesco, à pátria, aos amigos escolhidos, à lealdade declarada: esses são estágios totalmente reconhecíveis que conduzem à fria morte da sociedade e à extinção de todas as relações civilizadas.[1]

Que coleção de problemas divergentes! No entanto, pessoas seguem clamando por "soluções", e ficam nervosas quando ouvem que a cura da sociedade deve vir de dentro, não de fora. O trecho acima foi escrito há um quarto de século. Desde então, descemos cada vez mais, e a descrição do Inferno soa ainda mais familiar.

Mas também houve mudanças positivas: algumas pessoas não ficam mais nervosas ao saber que a mudança deve vir de dentro; a crença de que tudo é "política" e de que um rearranjo radical do "sistema" será suficiente para salvar a civilização já não é sustentada com o mesmo fanatismo de há vinte e cinco anos; em todo lugar do mundo moderno há experimentos voltados a novos estilos de vida e à simplicidade voluntária, a arrogância do materialismo científico está em decadência e, às vezes, mesmo entre a sociedade educada, é tolerável falar em Deus. Reconhecidamente, algumas dessas mudanças de paradigma não vieram inicialmente de lampejos espirituais, mas do medo material criado pela crise ambiental, a crise dos combustíveis, a ameaça de uma crise de alimentos e os indicativos de uma

---

[1] Dorothy L. Sayers, *Introductory Papers on Dante*. Londres, 1954, p. 114.

crise da saúde. Diante dessas — e de muitas outras — ameaças, a maioria das pessoas ainda tenta acreditar no "milagre tecnológico". Se pudéssemos desenvolver *energia de fusão*, dizem, nossos problemas energéticos estariam resolvidos; se pudéssemos aperfeiçoar os processos para transformar óleo em proteínas comestíveis, o problema mundial da fome seria resolvido; e o desenvolvimento de novos medicamentos certamente conteria qualquer ameaça de uma crise na saúde... E por aí vai...

Ainda assim, a fé na onipotência do homem moderno está perdendo a força. Mesmo se todos os "novos" problemas fossem resolvidos pela tecnologia, o estado de futilidade, distúrbio e corrupção permaneceria. Ele existia antes que a presente crise se tornasse tão severa, e não irá embora sozinho. Mais e mais pessoas estão começando a perceber que "a experiência moderna" falhou. Ela recebeu seu primeiro impulso através do que chamei de revolução cartesiana, que, com lógica implacável, separou o homem daqueles níveis superiores que mantêm sua humanidade. O homem fechou os portões do Céu à sua frente e tentou, com imensa energia e ingenuidade, confinar-se na Terra. Agora está descobrindo que a Terra é apenas um estado transitório, e então aquela recusa de buscar o Céu significou sua descida involuntária ao Inferno.

Talvez seja possível viver sem igrejas; mas não é possível viver sem religião, ou seja, sem um esforço sistemático para desenvolver e manter-se em contato com os níveis superiores, em vez de transitar apenas na "vida ordinária", com todo o seu prazer e dor, impressões e recompensas, brutalidade e refinamento — quaisquer que sejam. *A experiência moderna da vida sem religião fracassou*, e, uma vez que compreendamos isto, sabemos o que são as nossas tarefas pós-modernas, de fato. Um número significativo de jovens (de várias idades!) estão indo na direção correta. Eles sentem até os ossos que as cada vez mais bem-sucedidas soluções para problemas divergentes de nada valem — podem até mesmo ser um obstáculo — para aprender a enfrentar, a lidar com os problemas divergentes, que são a nossa verdadeira vida.

A arte de viver está em sempre extrair algo bom de algo ruim. Apenas se *sabemos* que já descemos realmente a regiões infernais, onde nada nos aguarda exceto "a fria morte da sociedade e a extinção de todas as relações civilizadas", podemos convocar a coragem e a imaginação necessárias para uma "reviravolta", uma *metanoia*. Isso então nos fará ver o mundo sob uma nova luz, ou seja, como um lugar onde aquelas coisas das quais o homem moderno fala continuamente, e falha em conseguir, podem ser efetivamente cumpridas. A generosidade da Terra nos permite alimentar toda a humanidade; sabemos o suficiente sobre ecologia para fazer da Terra um lugar seguro; há espaço o suficiente na Terra, e suficiente matéria-prima, para que todos tenham abrigo adequado; somos competentes o bastante para produzir suprimentos em quantidade suficiente para que ninguém viva na miséria. Acima de tudo, devemos perceber que o problema da economia é um problema convergente que já foi resolvido: sabemos como produzir o que precisamos sem para isso utilizar tecnologias violentas, desumanas ou agressivas. Não existe problema na economia e, em certo sentido, nunca existiu. O que existe é um problema moral, e problemas morais não são convergentes, passíveis de solução, para que as gerações futuras possam viver sem esforço; são, ao contrário, problemas divergentes, aos quais é preciso compreender e transcender.

Podemos crer que essa "reviravolta" será executada por um número suficiente de pessoas, e a tempo de salvar o mundo moderno? Essa questão surge com freqüência, mas qualquer resposta que se possa dar a ela será ilusória. Um "sim" nos levaria à complacência; um "não", ao desespero. É melhor deixarmos essas perplexidades para trás e arregaçarmos as mangas.

Este livro foi composto em Adobe Caslon Pro
e impresso pela Gráfica Guadalupe em papel
Avena 80gr/m² para a Editora Auster, em
março de 2020.